消失的阿基米德手稿

达力动漫 著
DALI ANIMATION

SPM
南方出版传媒
全国优秀出版社
全国百佳图书出版单位
广东教育出版社
·广　州·

依依
开朗，骄傲，
不开心的时候
喜欢擦东西或
者别人的头。
花花公主
可爱的刁蛮公
主，霸道，还
有点高傲。
罗克
机灵，懒散，数
学小天才，但是
讨厌数学。
UBIQ
数学机器人，只
能发出“嘟嘟
嘟”的声音。
小强
受气包，缺乏自
信，胆小怕事。

国王
帅气，爱打扮，超级自恋狂，已经很帅了，还想要更帅。
Milk
被校长捡回来的笨笨的外星人，没有常识。
校长
小矮子，数学奇才，聪明，但满肚子坏水。
加、减、乘、除
国王的贴身侍卫，总是欢天喜地干蠢事。

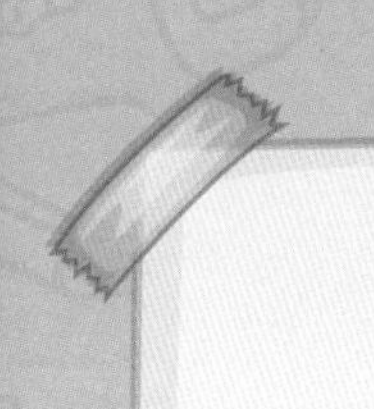

目录

垃圾怪

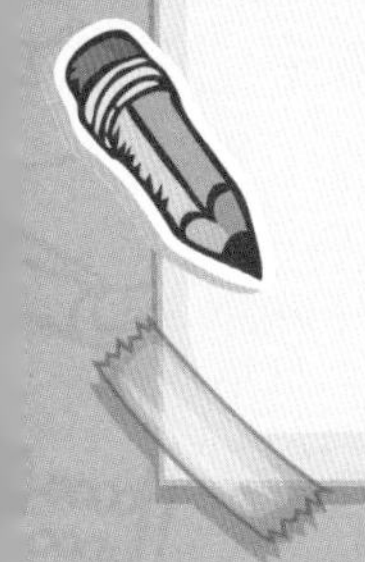

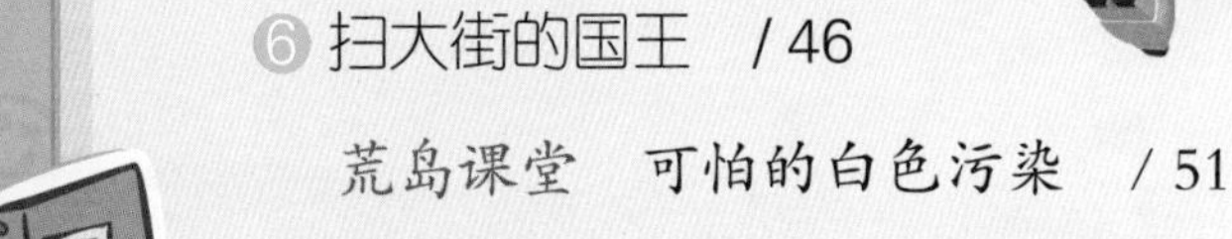

阿基米德的数学手稿

垃圾怪

1 依依与罗克的对决

又是阳光明媚，天气晴朗的一天。罗克和小强正愉快地坐在城堡大厅里看电视。而依依正在认真清洁房间，不知不觉清理到了电视机旁。只见依依直接拿着抹布在电视机

屏幕上擦拭起来，完全忽略了正盯着电视画面的罗克和小强。

剧情正播到精彩部分，小强紧张地喊道："看……看不到了……"

"依依！你挡住我们了！"罗克则一边侧着身子一边抓狂地对着依依大喊，"快让开呀！"

依依被罗克的声音吓了一跳，这才发现自己挡住了电视画面。但是被罗克这么一吼，她顿时恼羞成怒，转身就将抹布甩到了罗克的脸上，生气地骂道："就知道玩、玩、玩！一点家务都不做，还敢大声吼我！"说完，依依一把将电视机的电源线拔掉。这下屏幕一黑，什么都看不到了。

罗克和小强被依依这个举动惊呆了。

"依依，你怎么可以这样？"罗克好不容易回过神来，憋出了一句话。

一旁的小强小心翼翼地扯了扯罗克的衣角，小声地提醒他说："算了吧，罗克，别

惹依依生气，后果很严重的。”

“你闭嘴！”罗克和依依异口同声地对小强喊道。

小强吓得立马躲到了UBIQ身后。

罗克和依依互相瞪着对方，眼神中透着一股杀气，安静的空气中充斥着可怕的气息，吓得小强双腿都在发抖。

“我们来对决吧！”依依先开口说道。

“我接受你的挑战！”罗克坚定地回答。

“谁赢了，电视机的控制权就交给谁！”

“好！”

依依说：“那你准备好接招了！听好了，我出的题目是：非洲、亚洲、美洲和欧洲一共派出了15名代表参加一个国际会议。每个洲所派出的代表人数各不相同，而且每个洲都至少派出了1名代表。美洲与亚洲合计派出了6名代表。亚洲与欧洲合计派出了7名代表。有一个洲派出了4名代表，请问是哪一个洲？快回答吧，回答错误了，电视机的控制权就是我的啦！”

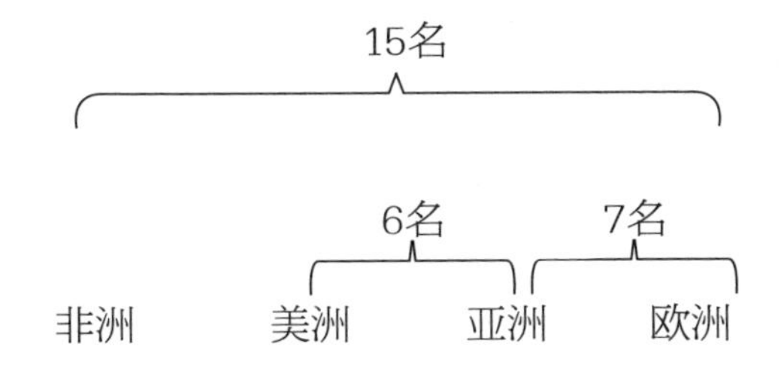

听到依依的数学题后，小强和UBIQ晕倒在地，小强吐槽道：“原来他们说的对决，就是数学题解答对决……”

“哼！”罗克冷笑一声，嘴角上扬，淡定地说道，“太简单了！我们先来看亚洲派

出了多少名代表。由于亚洲与美洲合计派出了6名代表，所以亚洲派出的代表人数可以是1、2、3、4或5。

“亚洲派出3名代表是不可能的，因为这样就与美洲派出的代表人数相等了。

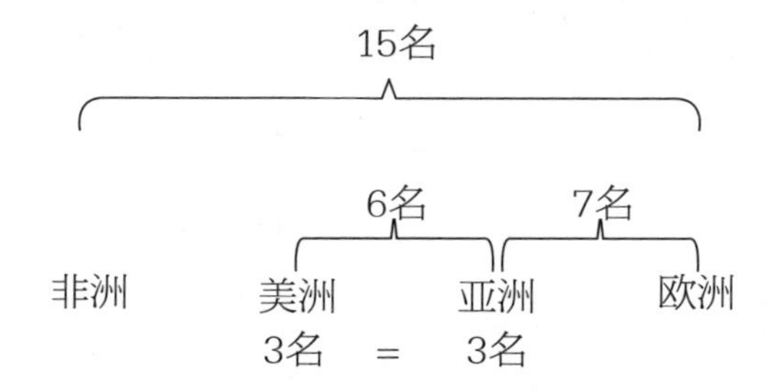

“如果亚洲派出了1名，则美洲将派出5名，这时欧洲有6名，而非洲有3名。但这是不行的，因为要有一个洲派出4名代表。

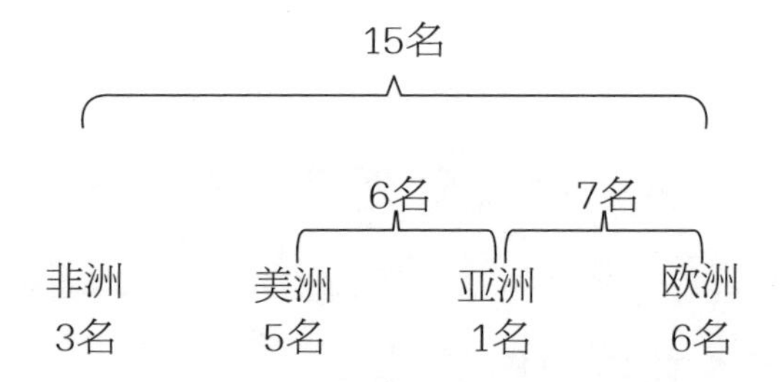

“如果亚洲派出2名，则美洲将有4名，

从而欧洲5名，非洲4名，但这种情况仍然不能成立，因为这样一来美洲与非洲派出的代表人数就相同了。

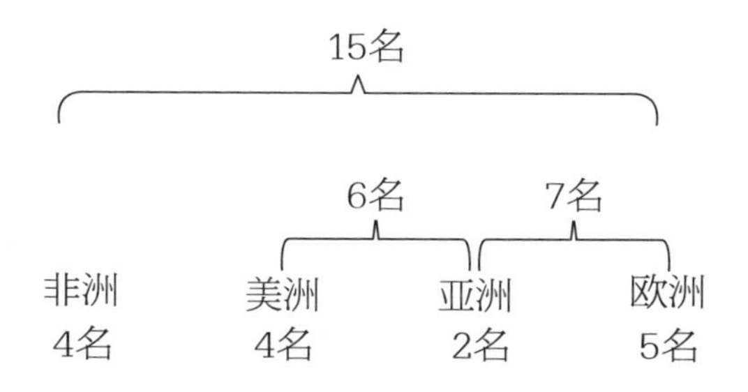

“如果亚洲派出5名，则美洲只有1名，欧洲有2名，非洲7名。但这样仍然不行，因为没有一个洲派出4名。

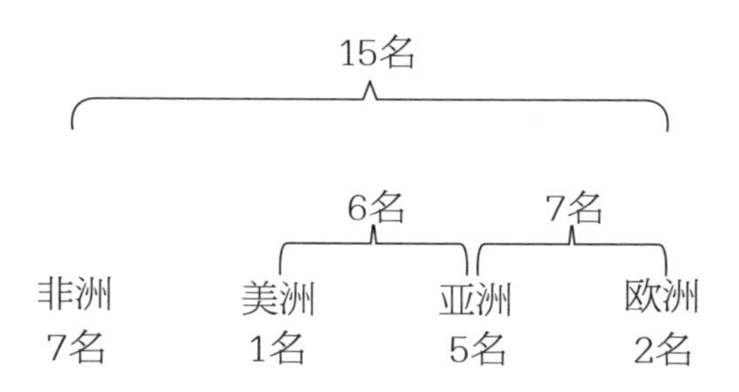

“如果亚洲派出4名，则美洲2名，欧洲3名，非洲6名，符合题意。所以派出4名代表的是亚洲。”

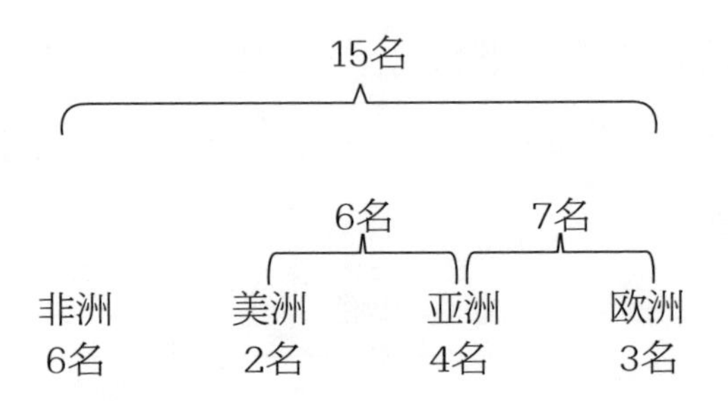

罗克自信地说完答案后，UBIQ屏幕上立刻显示出一个正确的符号“√”。

“哼！居然被你答对了！”依依既生气，又无奈地说道。

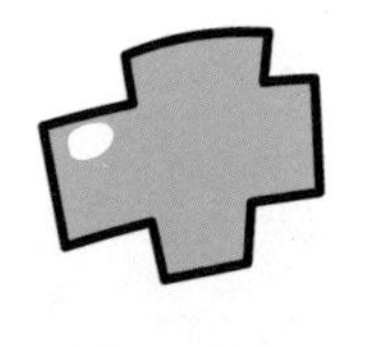

四大洲派来的15名代表

逻辑推理问题由一些相互联系的条件组成，要从题设条件出发，利用它们的相互联系，根据相关逻辑知识分析推理，排除不可能的情况，从而得出正确的结论。

例 题

非洲、亚洲、美洲和欧洲一共派出了15名代表参加一个国际会议。每个洲所派出的代表人数各不相同，而且每个洲都至少派出了1名代表。美洲与亚洲合计派出了6名代表。亚洲与欧洲合计派出了7名代表。有一个洲派出了4名代表，是哪一个洲呢？

方法点拨

解这类题型可根据已知条件，假设推理。因为亚洲和美洲共派出6名代表，假设亚洲代表人数为1、2、3、4、5，再根据题意，分别推算出其他各洲的代表人数。

非洲	美洲	亚洲	欧洲	结论
3人	5人	（1人）	6人	×
4人	4人	（2人）	5人	×
5人	3人	（3人）	4人	×
6人	2人	（4人）	3人	√
7人	1人	（5人）	2人	×

只有当亚洲代表数是4人时，其他各洲人数才符合题意。

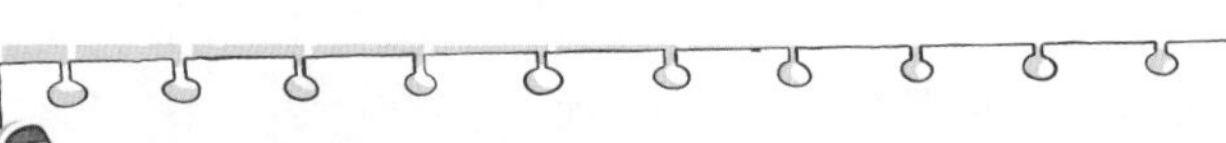

牛刀小试

30名学生参加数学竞赛，已知参赛者中每10人中都至少有一名男生，那么男生至少有（ ）人。

角色扮演的冒险游戏

“哈哈哈！那当然了！”说着，罗克准备重新打开电视机。这时，花花一边撕着花瓣，一边走了过来。嘴里念念有词：“出去玩、不出去玩，出去玩、不出去玩……”原来她正在纠结要不要出去玩。

而这时，国王拿着一个盒子，突然冲进了大厅，兴奋地大喊道：“乖女儿，你看，这是什么？”

大家齐刷刷地向国王手中的盒子看过去。

“哇！数学荒岛冒险游戏，我最喜欢

啦！”花花眼前一亮，兴奋地喊道。

“我们数学荒岛的角色扮演冒险游戏呀！”依依也异口同声地说。

罗克一听，眼睛都发亮了：“角色扮演冒险游戏？听起来好像很好玩的样子！”

国王得意地说：“想当年，我可是赢遍数学荒岛的无敌手！”

“啧啧啧！”罗克摇摇食指，略带挑衅地说，“那你今天可是遇到对手了。”

国王自信满满地说：“那我们就比一比！输了的人，绕操场跑500圈！”

“好！”罗克补充道，“要不我们来点更刺激的，输了的人倒着跑500圈！”

国王尝试着倒跑了两步，发现还挺有趣，于是爽快地答应下来：“正合我意！”

“别废话了，大家一起来玩吧！”花花一边说，一边迫不及待地拿过国王手中的盒子，接着她拿出里面的游戏纸盘，把它们铺在桌面，再拿出一沓厚厚的卡片，将它们

分类摆放好，最后拿出几枚骰子放在旁边。准备好之后，小强、罗克、依依、国王、花花、UBIQ依次围着桌子坐了下来。

国王说：“先来抽签选角色。”

于是，每人随机抽取一张角色卡片。

罗克看了看自己抽到的角色卡片，立刻得意地展示给大家看：“哈哈，我抽中战士！耶！”

依依翻开自己的卡片，也满意地说：“我也不错，魔法师。”

花花把卡片夹在手掌中，闭着双眼，合掌祈祷说：“拜托拜托，一定要让我抽中精

灵啊！”说完，花花睁开双眼，打开手掌一看，脸色大变，“什么？小矮人？不行！我要重新抽一次！”

“哈哈，小矮人，好适合你呀！”小强忍不住取笑道。

“得意什么？我来看看你的！”花花一手抢过小强的卡片，翻开一看，脸色瞬间变得更难看了，她生气地大喊，“太过分了！”

原来小强抽到了公主的角色。

“啊？为什么我会抽到公主，我可不要嫁给王子呀！”小强很惊讶。

“哈哈哈”，众人纷纷大笑起来，只有花花一脸不乐意，开心不起来。

桌上的角色卡片还剩两张，国王趁大家不注意，偷偷翻看——剩下的一张是盗贼，一张是战神。

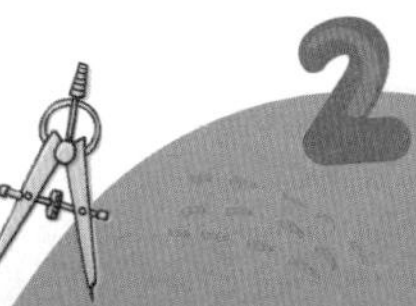

这时，罗克刚好看见国王的“作弊行为”，大喊道：“国王，你怎么能偷看呢？”

“哪有啊！你看错了，罗克！”国王一边否认，一边快速抽出其中一张卡片。“我就抽这张吧！”国王翻开卡片，“哇！我的运气真好，我要做战神了！”国王得意扬扬地说道。

“哼，明明是偷看了！”罗克不高兴地说。

“好了，我们快点选择任务吧！”国王连忙扯开话题，他转了转游戏纸上的转盘，待转盘停下来，指针指出了这次的任务。

国王看着任务指示说：“哦？这个任务是拯救美丽动人的王后？”

“无聊！”花花失望地说。

为了让花花高兴，国王连忙再次转动游戏盘。这次指针指向了一个新的任务——解救被怪兽抓住，关在高塔上的花花！

“那我得感谢怪兽呢！”罗克开心地说道。

“罗克！你说什么？”花花顿时怒了。

“别吵、别吵，最后再转一次吧！”国王赶紧一边安抚花花一边转动转盘，“这次是白马王子被巨龙抓走了！”

听到“白马王子”四个字，花花立刻兴奋起来：“爸爸！爸爸！我要去救白马王子，然后嫁给他！”

“花花，你现在是小矮人，不能嫁给王子的。”小强忍不住吐槽。

依依用手肘撞了撞小强，揶揄道：“你

的意思是，你要嫁给王子咯？”说完，依依忍不住捂住嘴巴偷笑起来。

“依依，你要是再取笑我，我就不玩了！”小强生起了闷气。

依依举起手中的抹布，仿佛一个举着魔法棒准备施展魔法的魔法师，她一步步靠近小强，恶狠狠地威胁说：“不玩我就把你变成蟑螂！”

小强看着依依凶狠的目光，瑟瑟发抖地说：“好可怕的魔法师，我玩，我玩！”

罗克看着大家吵来吵去，转身向国王吐槽：“国王，你家到底有多少亲戚被巨龙抓走了？”

依依也跟着小声嘀咕：“除了国王自己，估计都被抓了吧！”

“咳，咳！”国王干咳了两声，清了清嗓子，一本正经地说，“好了，游戏开始了！我们按顺序转动转盘，指针指到谁，谁就要执行任务。”

国王转动转盘，大家紧紧盯着，眼珠随着指针飞快转动。随着指针缓缓停下，大家的目光投向了依依。

“好，依依先开始吧。”国王拿起一张卡片，读出里面的任务提示，“在去拯救王子的过程中，你来到了一片刚被大火烧毁的森林里，前方有一个黑漆漆的山洞，依依你打算怎么做？”

听到黑漆漆的山洞，众人不由自主地打了个冷战，开始害怕起来。

“你们全部站到我的身后，让我用魔法把抹布变成一盏灯，这样你们就可以看清楚

了！”依依拿起抹布，口中念着咒语，好像真的施展魔法一样。

罗克看着依依手中的抹布，一脸嫌弃：“看清楚什么？我只看见了一条脏兮兮的抹布。”

“罗克，你是不是脸又痒了？需要我帮你擦一下吗？”依依攥紧抹布威胁道。

这时，花花站起来，一拍桌子，不耐烦地说道：“少废话了，我要冲进去！”说着，花花顺势爬上了桌子，“白马王子，我来救你了！”

依依无力地拍了拍额头：“别，里面可能有危险！而且现在还是我在做任务！”

“不要，为了我的幸福，白马王子一定要由我亲手救出来。”花花毫不理会。

小强望着花花一脸钦佩地说道：“花花，你好勇敢哦！”

“那好吧，我们就看看花花冲进山洞里会遇到什么吧！”说着，国王拿起下一张卡

片翻开一看，露出遗憾的表情，说：“乖女儿，你不听指挥，冲进去的时候，坠崖掉进深渊，不能继续游戏了。”

“什么？”花花一时间难以接受，崩溃大哭起来，“我的角色死了？不！我要换个角色，我要再去救王子，小强！把你的角色给我！”

小强低头埋怨道：“花花，你为什么要一直和我抢王子呢？”

花花站起来，理所当然地说：“因为我就是公主！”

“花花，现实中你是公主，但在游戏

里，你只是小矮人。不过放心，我会帮你救出白马王子的。”

“罗克，你真好！”花花终于露出了笑容。

“然后把王子送给小强公主，哈哈！”说完，罗克和UBIQ开心地击了个掌。

“哼！罗克，你休想！”花花转身对国王撒娇，“爸爸，你一定不能让小强嫁给王子，王子是我的！”

国王摸摸花花的头，一脸宠溺地说：“放心吧，包在我身上。”

小强也谦让地说：“花花，我救了王子也会把他让给你的。”

花花听小强说“让”，心里很不爽，却又一时语塞，不知说什么好，只能生气地狂跺脚。

投骰子游戏

转转盘选择任务，是研究随机性或不确定性等现象的数学应用。常见随机试验有投骰子、扔硬币、抽扑克牌、转转盘等。

例 题

小强和花花投骰子，谁赢了谁当“公主”。花花抢先选了B组幸运数字。“小强，我比你多一个幸运数字，我赢定了！”花花说得对吗？谁赢的可能性大？

游戏规则：1. 同时投两枚骰子，把向上的点数相加，总点数属于谁的幸运数字就谁赢。

2. A组幸运数字有5个：5、6、7、8、9。

B组幸运数字有6个：2、3、4、10、11、12。

方法点拨

解法1：

如右图，点数和为A组的组合有：

4+5+6+5+4=24（种）

点数和为B组的组合有：

（1+2+3）×2=12（种）

					6+1					
				5+1	5+2	6+2				
			4+1	4+2	4+3	5+3	6+3			
		3+1	3+2	3+3	3+4	4+4	5+4	6+4		
	2+1	2+2	2+3	2+4	2+5	3+5	4+5	5+5	6+5	
1+1	1+2	1+3	1+4	1+5	1+6	2+6	3+6	4+6	5+6	6+6
2	3	4	5	6	7	8	9	10	11	12

所以，花花说得不对。小强赢的可能性大。

解法2：

两枚骰子投掷一共有6×6=36（种）。

点数和为2、3、4、10、11、12，共有12种，概率为$\frac{1}{3}$。

点数和为5、6、7、8、9，共有24种，概率为$\frac{2}{3}$。

所以，小强赢的可能性比花花大。

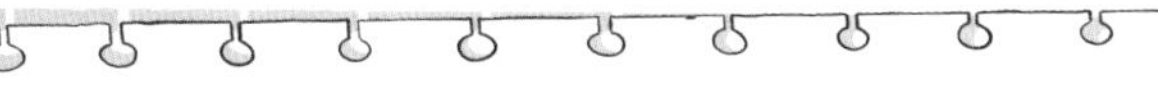

牛刀小试

很快到儿童节了，国王决定给花花他们一些活动资金，但需要根据掷两枚骰子的总点数决定给他们资金额度。胖、瘦警长递上了帮国王制订的方案：

方案1：

点数和	2	3	4	5	6	7	8	9	10	11	12
资金/元	20	40	60	80	100	120	100	80	60	40	20

方案2：

点数和	2	3	4	5	6	7	8	9	10	11	12
资金/元	120	100	80	60	40	20	40	60	80	100	120

花花他们想多一些活动资金，应该选择哪个方案？为什么？国王现在的资金有限，他给花花他们哪一个方案更省钱？

3 国王的决心

经过一番周折，魔法师依依终于带领大家穿过了森林。“好了好了，轮到我来转了。”罗克迫不及待地拿过转盘，转动指针，这次指针指向了国王。罗克拿起卡片，读道：“现在，我们来到了一个城堡，城堡里有一个紧紧锁着的大宝箱。国王，你要打开它吗？”

“哈哈！我终于闪亮登场了。放心，我一定不会让你们失望的。快把大宝箱打开吧！”

“糟糕！”罗克继续读着任务卡片上的

文字，“当国王打开大宝箱的时候，不小心触动了大宝箱的机关，房间的四面墙正在慢慢逼近我们，箱子里面有一道数学题，必须赶紧给出正确答案才能破解机关，不然我们都会被压扁的。”

“啊？题目是怎样的？”国王问道。

“听好了，题目是：一个标准垃圾桶的最大容积是0.08立方米，假设荒岛上有100个垃圾桶，荒岛有200个居民，每个居民每天产生0.05立方米的垃圾，如果不及时清理垃圾，垃圾就会集结起来变成垃圾怪兽，伤害岛民。请问荒岛的清洁工每天至少需要清理几次垃圾？”

花花焦急地说：“爸爸，你一定要答对啊！白马王子在等着我！”

罗克也催促道：“墙壁越来越近了！国王，快！”

小强完全陷入了被墙壁夹击的幻想中：“惨了，魔法师快救救我！”

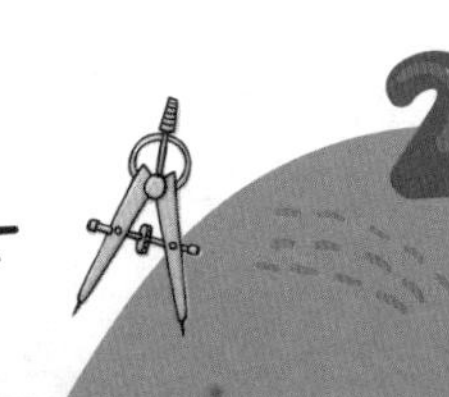

“嘛哩嘛哩哄！我变！”依依念出一道咒语，指向小强，“好了，小强，你不用害怕了！”

“真的吗？你施了什么魔法？”小强既兴奋又好奇。

依依神秘一笑，说：“我把你变成了一只蚊子。”

众人纷纷对小强投去同情的目光。

“最后倒数三秒，国王你算出来了吗？”罗克看了看时间，再次催促道。

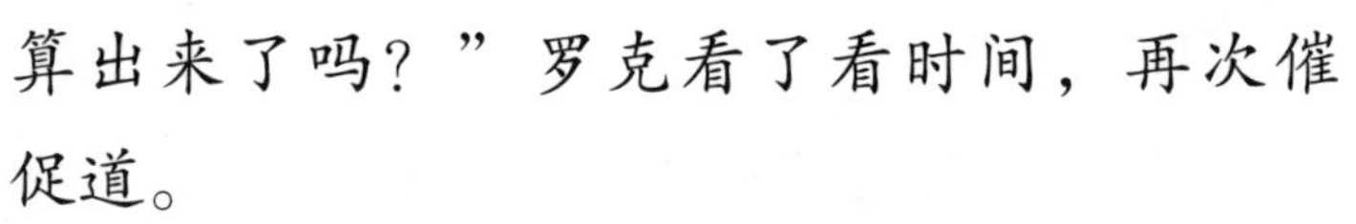

国王苦思冥想仍然算不出答案，突然灵机一动，说：“答案是不用清理！”

罗克无奈地问：“国王，怎么就不用清理呢？”

国王得意地说：“我命令全岛的居民不

准扔垃圾就好了！”

花花小声地提醒道：“爸爸，你现在是战神，不是国王，没有人会听你命令的！”

国王一拍脑袋：“哎哟，一时忘记了，国王做久了难免有点职业病。不过，我应该答对了吧？”

罗克叹了一口气：“当然不对呀！正确的答案是清洁工每天至少清理两次垃圾桶。”

国王想不明白，但还是保持高傲的样子问道：“哼，你怎么算出来的？”

罗克解释说：“你听好了，岛民每天产生的垃圾总量为0.05×200=10（立方米），而岛上100个垃圾桶一共可以容纳：0.08×100=8（立方米），10÷8=1……2，那么每天清洁工至少需要清理两次垃圾。”

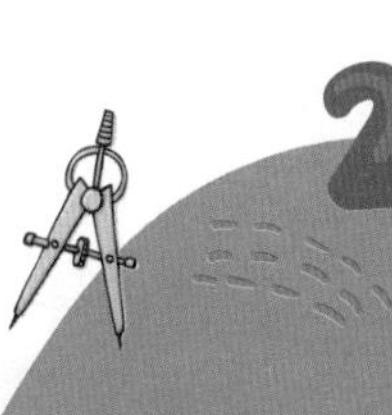

“剩下2立方米的垃圾，完全可以硬塞进垃圾桶，你这个答案不准确。”国王不服气地反驳。

罗克没有理会国王的歪理，继续宣读任务卡：“国王，由于你没能在限定时间内答对题目，现在大宝箱变成垃圾箱，把你吸了进去。你的角色退出游戏。”

“我不服！我要重来！”国王试图探身去转动游戏转盘，UBIQ连忙跳出来，阻止了国王。

罗克一本正经地说：“国王，你出局了！”

花花大哭，喊道：“爸爸出局了，我最后的希望都没有了！呜呜呜！”

国王连忙安慰花花：“乖女儿，你别哭，爸爸一定会把你的白马王子找回来的！”说完，他一拍桌子，大喊，“加、减、乘、除！”

加、减、乘、除四名侍卫瞬间出现在

国王的眼前，齐声答应："国王！有什么吩咐？"

国王说："我们马上出发！"

加、减、乘、除立正道："是！"

于是，国王领头，带着侍卫们走出了城堡。

罗克、依依、小强、花花都不明所以，一脸疑惑地你看看我，我看看你。

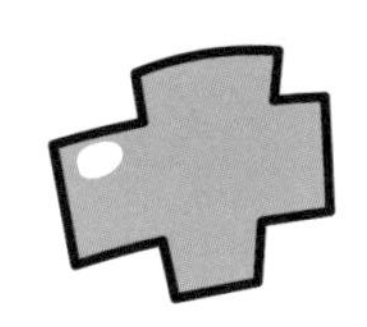

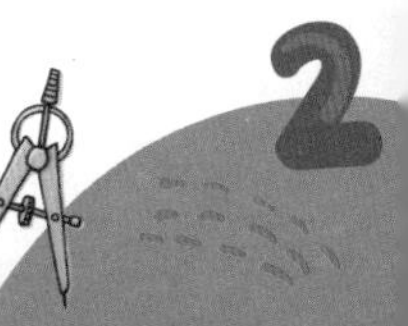

怎样租垃圾车更合算？

宝箱里的数学题是一道最优方案问题，这类问题的最终目的是找到最优化（最佳）的解决方案。

例题

岛上居民每天产生的垃圾总量大约为62桶，需要租用垃圾车把这些垃圾运走，现有两种垃圾车：

（1）大车每次可运走10桶，运费200元。

（2）小车每次可运走4桶，运费95元。

请问怎样租车更合算？

方法点拨

大车单价：200÷10=20（元/桶）

小车单价：95÷4=23.75（元/桶）

大车便宜些，所以先考虑大车，小车做补足，但尽可能不要有空位。

若全用大车运送，62÷10=6（辆）……2（桶），剩下的两桶用小车装，6×200+95=1295（元），但小车未装满。

若大车和小车组合运送，5辆大车，剩下12桶用3辆小车，恰好装满。

5×200+3×95=1285（元）

所以租5辆大车和3辆小车最合算。

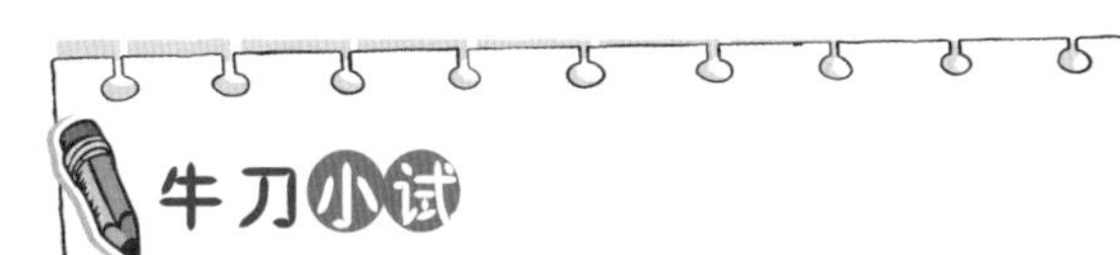

师生270人去旅游，需要租车，面包车限乘30人，每辆400元；大客车限乘50人，每辆600元。怎样租车最省钱？最少需要多少钱？

国王要被校长教训了

街道上，加、减、乘、除面面相觑，摸不着头脑地看着国王，而国王着急地四处张望，好像在寻找着什么。

国王气鼓鼓地说：“罗克害我在乖女儿面前丢脸，我一定要证明他是错的。”

加忍不住问道：“国王，你要怎样证明呢？”

“垃圾桶！给我找垃圾桶。”国王命令道。

加指着前方不远处，说：“国王，那里有一个垃圾桶。”

“跟我来！”国王兴奋地带着加、减、乘、除四人跑到垃圾桶旁边，“你、你、你、你，快把垃圾桶盖给我打开，把里面的东西都翻出来！”

加、减、乘、除四人虽然不明所以，但还是按照国王的命令，立刻上前围住垃圾桶，两人负责打开垃圾桶的盖子，另外两人则探身进入垃圾桶内，将里面的垃圾都翻了出来。一时间，垃圾四处乱飞，散落一地。

这时，一个易拉罐从垃圾桶里飞了出来，在空中划下一道完美的抛物线，正好砸在了对街的校长头上。“哎呀！”校长应声倒地。

旁边的Milk连忙扶起校长：“校长，校长，你怎么了？”

“疼死我了！”校长摸着头上隆起的大包，痛苦地说着。

Milk惊喜地看着校长头上的大包，“太好了，校长，你长高了。”说着，Milk伸手

去按校长的大包，“咦？怎么又变矮了？”

“疼！”校长生气地推开了Milk的手，“你给我走开，让我看看是谁在偷袭我！”

这时，校长看见对面街上的国王和加、减、乘、除正在乱翻垃圾。“敢在大街上扔垃圾伤人？我要让他们接受教训！”说着，校长毫不犹豫地拨出了电话，“喂……”

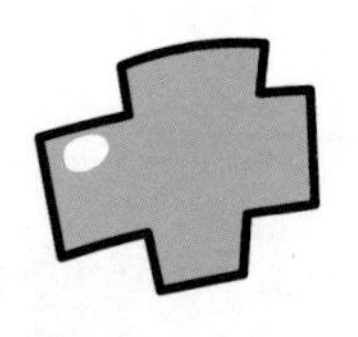

制作易拉罐

制作一个易拉罐要多少铝皮？易拉罐的形状接近圆柱。我们先来学习圆柱的有关知识：

1．形成：以长方形的一边为轴旋转得到的几何体，也可以由平行四边形卷曲得到。

2．侧面展开图（无论如何展开都得不到梯形）：

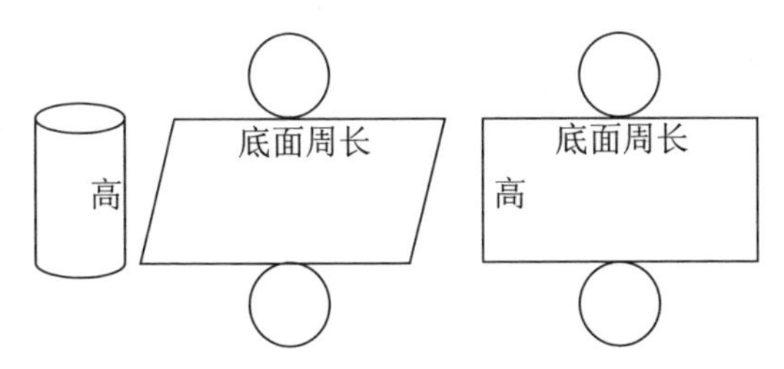

3．切割：

垂直于高横切，切面是圆。

过直径纵切，切面是长方形。

例 题

一个圆柱体易拉罐，半径约3cm，高约12cm，做这个易拉罐，大约用了多少铝材？

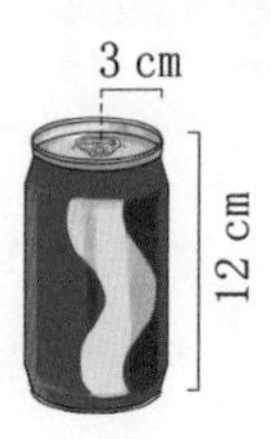

方法点拨

求易拉罐需要用多少铝材，实际是求易拉罐表面积。

圆柱的表面积=底面积×2+侧面积

$3.14\times3\times3\times2+2\times3.14\times3\times12$

$=18\times3.14+72\times3.14$

$=90\times3.14$

$=282.6（cm^2）$

所以这个易拉罐大约用了$282.6cm^2$铝材。

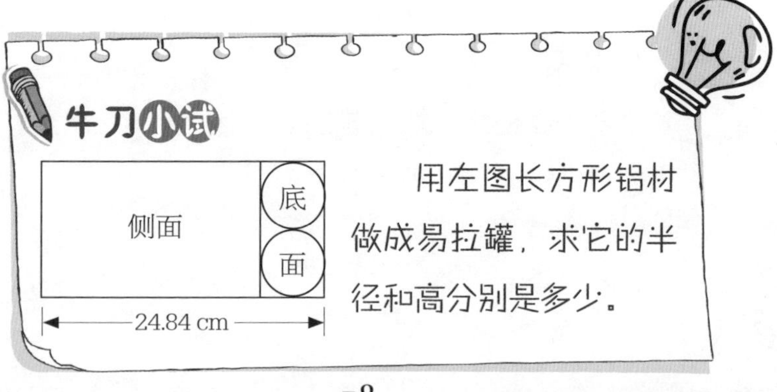

用左图长方形铝材做成易拉罐，求它的半径和高分别是多少。

国王被警察抓了

城堡里，罗克、依依、小强等人继续玩着游戏。现在是最后一个回合了，他们来到了巨龙囚禁白马王子的城堡下。巨龙阻挡在他们的面前，狂妄地说："想要把王子救走？可以呀，答对我的问题，我就让你们带他走！"

巨龙的问题是这样的：

曾经有许多白马王子的倾慕者都试图来营救他，但全部失败了。其中：

$\frac{1}{3}$的倾慕者没能见到王子；

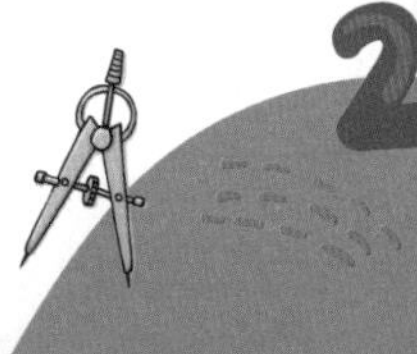

$\frac{2}{7}$的倾慕者死在了重重陷阱中；

427个倾慕者既活了下来，又见到了王子；

$\frac{1}{5}$的倾慕者连王子的面都没见到就死了。

请问：在这之前有多少个倾慕者曾来营救过王子？

花花听完，心中忐忑不安：“我的情敌好多啊！”

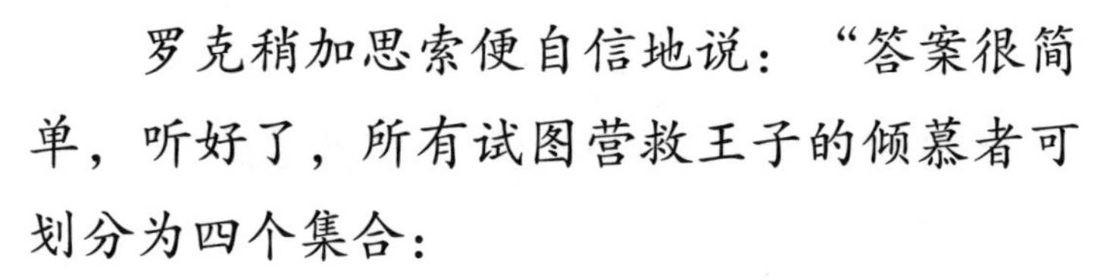

罗克稍加思索便自信地说：“答案很简单，听好了，所有试图营救王子的倾慕者可划分为四个集合：

A. 既没见到王子，也没能活下来；

B. 没见到王子；

C. 见到了王子，也活了下来；

D. 没能活下来。

已知：A+B是总人数的$\frac{1}{3}$；A+D是总人

数的$\frac{2}{7}$；A是总人数的$\frac{1}{5}$；C等于427。

从而得出：

B为总人数的$\frac{1}{3}-\frac{1}{5}=\frac{2}{15}$；D为总人数的$\frac{2}{7}-\frac{1}{5}=\frac{3}{35}$；A+B+D为总人数的$\frac{44}{105}$；C为总人数的$\frac{61}{105}$。

于是可以求出曾经试图营救王子的倾慕者人数为$427\div\frac{61}{105}=735$人。”

UBIQ屏幕亮起“√”的符号，显示回答正确。罗克把答案卡片转过来一看，果然和他说的答案一样。

罗克答对了题目，巨龙不再阻挡他们。这时花花一脸疑惑地说：“既然有427个倾慕者既活了下来，又见到了王子，为什么没人把他救走呢？”罗克、UBIQ、依依和小强也是百思不得其解。

于是罗克翻出了下一张卡片，只见上面

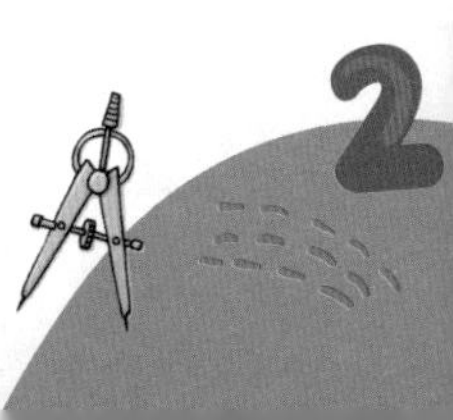

赫然写着："白马王子爱上了巨龙，拒绝被营救。"

花花一看傻了眼，哇哇大哭起来。

罗克却哈哈大笑："既然如此，我们还是祝福王子和巨龙吧！"

花花只好找小强泄愤："你这个公主怎么这么窝囊！居然让白马王子爱上了巨龙？"

"不关我的事，我现在是蚊子，在吸依依的血，好美味啊！"小强黏在依依身旁，舔着嘴唇，仿佛自己就是一只蚊子。

依依一把推开小强，没好气地说："你们到底有多无聊啊？哪里有什么白马王子，这只是一个游戏！"

突然，电话铃响起，依依拿起电话："喂……什么？"依依的神情突然变得凝重起来，紧张地说，"好的，我们马上就到！"

依依挂上电话，一脸严肃地说："花花，不好了！"

花花伤心地说："当然不好了，白马王子都变心了！"

依依既无奈又着急："我不是说这个，国王被警察抓了。"

花花露出惊恐的表情，眼泪也跟着涌了出来，她大哭着说："啊！爸爸！我要爸爸！呜呜呜呜！"

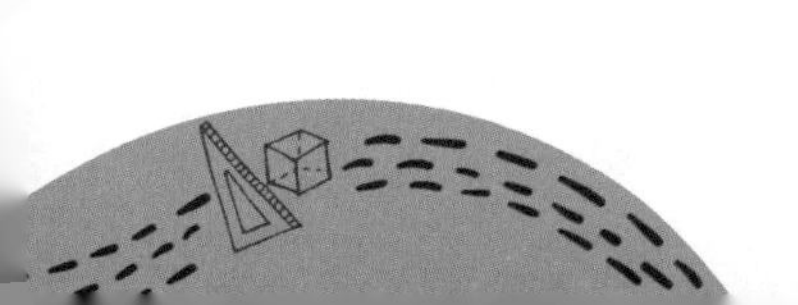

营救白马王子

与分数有关的实际问题，常涉及单位“1”的取设，即当题目中出现多个量，但这些量中一部分的实际数量不清楚，可将其中一个量看成单位“1”做参考。巨龙的问题属于分数解决问题中不知道单位“1”的量的问题。抓准427人所对应的分率是关键。

例题

曾经有许多白马王子的倾慕者都试图来营救他，但全部失败了。其中：三分之一的倾慕者没能见到王子，七分之二的倾慕者死在了重重陷阱中，427个倾慕者既活了下来，又见到了王子，五分之一的倾慕者连王子的面都没见到就死了。请问：在这之前有多少个倾慕者曾来营救过王子？

方法点拨

如下图，将曾来营救的倾慕者总数看作单位“1”。

“1”
- $\frac{1}{3}$没见到王子
  - 没死
  - 死了$\frac{1}{5}$
- $\frac{2}{3}$见到王子
  - 死了$\frac{2}{7}-\frac{1}{5}=\frac{3}{35}$
  - 没死$\frac{2}{3}-\frac{3}{35}=\frac{61}{105}$（427人）

（死了$\frac{1}{5}$与死了$\frac{3}{35}$合计$\frac{2}{7}$）

$$\left(1-\frac{1}{3}\right)-\left(\frac{2}{7}-\frac{1}{5}\right)=\frac{61}{105}$$

$$427\div\frac{61}{105}=735\text{（人）}$$

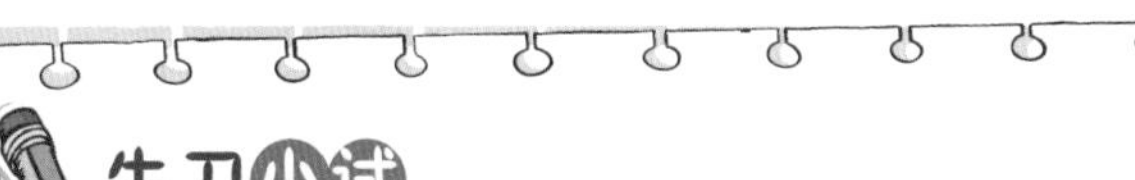

牛刀小试

曾来营救王子的倾慕者有多少人没见到王子也没死？

扫大街的国王

大街上，警察拿出小本子，写上“罚单”两个字，撕下来递给国王说：“这是罚单。”

国王盘着手，懒得搭理警察，高傲地对旁边的侍卫说：“加，给钱。”

加接过罚单，看了一眼：“国王，这不是罚钱。”

“什么?”国王疑惑地抢过罚单一看，脸色都变了,“这……这……叫我扫大街? ”

警察一脸严肃地说：“你以为有钱就了不起吗? 赶紧打扫，两小时后我会回来检

查。”说完便转身离开。

加擦了一下额头上的冷汗，小声地说：“还好，警察没罚钱。”

“为什么？”

“因为我们只有这个了。”加掏出一枚印着国王头像的荒岛币，众人尴尬不已。

国王看着大街上的垃圾，叹了口气：“为什么地球人一点环保意识都没有！这么多垃圾，要多久才能扫完呀？”

加小声嘀咕：“这些垃圾还不都是你让我们翻出来的……”

国王眉头一皱，瞪着加：“你说

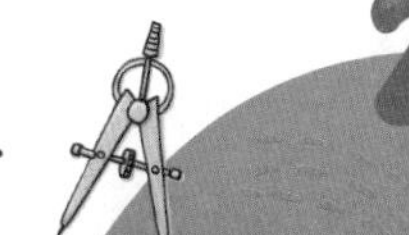

什么？”

加头摇得跟拨浪鼓似的，连连否认：“没！我什么都没说。”

这时，花花和罗克等人从远处跑来。

花花着急地大喊：“爸爸！爸爸！”

国王看到这一大群人，立刻得意起来：“哈哈，救兵来了！”

花花冲进国王的怀里，哭泣着说：“我已经没有了白马王子。爸爸，你可不能离开我啊！”

“乖女儿，爸爸没有要离开你，只是想看看，一个垃圾桶到底可以装多少垃圾……”

“结果就被警察罚扫大街了？”罗克捂着嘴偷笑，揶揄道，“国王，回去记得跑500圈，而且要倒着跑哦！”

“没问题，等我减肥的时候一定会去跑。”国王并不打算履行约定。

“国王说话不算话！”罗克翻了个大大

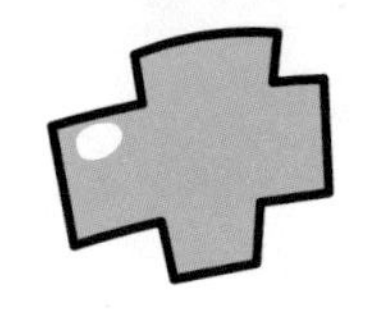

的白眼。

“罗克，如果不是你，我就不会被罚扫大街！”国王反咬一口。

“我？”罗克一脸无辜。

“要不是你给我出什么破垃圾桶的数学题，我就不会被罚扫大街。”国王气急败坏地说。

罗克笑着说道：“淡定点，不是还有2个小时吗？”

国王叹了口气：“这么多垃圾，2小时怎么扫得完呀？我不管，罗克，你一定要帮我！”

“作为数学荒岛至高无上的国王，这点小事肯定难不倒你的。UBIQ，我们走吧！”罗克一边推脱，一边借故溜走。

眼见罗克就要走了，花花急忙拉住罗克的衣袖：“罗克……如果你帮我爸爸，那么我就……就……就把白马王子让给你。”

罗克一脸不屑地说：“谁要你的白马王

子啊？”

“花花，你怎么可以随便把我的王子送给罗克呢？你都没有问过我。”小强在旁边冷不丁地插嘴道。

花花有求于人，虽然又气又恼，但也敢怒不敢言。

这时，UBIQ拉着罗克的衣服，发出“嘟嘟嘟”的声音，恳求罗克帮助国王。

“好啦，我知道了！我一定会帮助国王的，我可是个乐于助人的好孩子！”罗克嘴硬心软，最后还是答应帮助国王。

“哈哈，太好了，罗克真像我。人人为我，我为人人。”听到罗克愿意帮自己，国王又开始胡说八道起来。

罗克无奈地低声吐槽说：“谁要像你呀？”

可怕的白色污染

警察给国王开的罚单不是罚钱，而是罚扫大街！是的，干净、整洁、清新的环境不是用钱买得来的，要靠人人守护！今天我们来谈谈白色污染的问题。

例 题

我国约有13.95亿人口，假如按每个家庭3人，每个家庭每天用1个塑料袋，一个塑料袋展开的面积是4平方分米来计算，罗克的学校大约占地20 000平方米，把这些塑料袋铺地，大约相当于几所学校的面积?

方法点拨

$13.95\times10^8\div3=4.65\times10^8$（个）

$4.65\times10^8\times(4\div100)=1.86\times10^7$（$m^3$）

$1.86 \times 10^7 \div (2 \times 10^4) = 930$（所）

所以，一天产生的塑料袋可以覆盖930所学校。

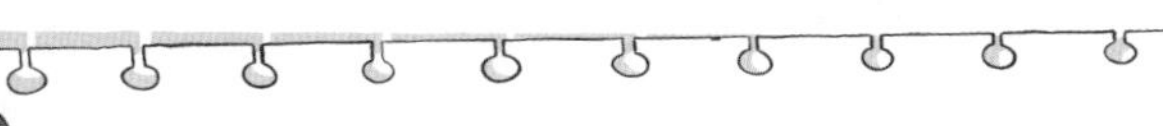

牛刀小试

一个塑料袋重约1克，10个塑料袋叠起的高度大约1毫米。一个四年级学生的身高约141厘米，体重约34千克。例题中我国家庭每天产生的塑料袋的重量相当于几个该学生的体重？把垃圾袋叠起来的高度相当于几个该学生的身高？

7 地球是我家，干净靠大家

国王一看时间紧迫，赶紧回归正题，给大家安排任务：“罗克和UBIQ负责打扫落叶，花花和小强负责捡路边的垃圾，依依负责撕掉小广告！”

“那国王你负责什么呢？”罗克问道。

国王头一昂，得意地说：“我的任务是最重要的，那就是负责监督你们，哈哈！”

众人差点被国王气得晕倒。

国王闭着眼喊道：“加、减、乘、除！”

“有！”加、减、乘、除异口同声应道，然后以旋风般的速度搬来了太阳伞、沙

滩桌椅和饮料。

国王舒舒服服地躺在了沙滩椅上，拿起饮料，喝了起来。加和减则拿着扇子给国王扇风，而乘和除开始给国王做全身按摩。

国王放下饮料，严肃地叮嘱大家：“记住，好好干活，清楚了吗？”

众人鄙视地看着国王，无可奈何地回答道：“知道了。”

就这样，社区街道的垃圾清理工作开始了。罗克拿着扫帚打扫着路边的落叶，好不容易把落叶全部扫到一起，一辆汽车飞驰而过，把落叶吹得四处乱飞。

“哎呀，这要扫到什么时候呀？”罗克有些崩溃，他看了看手表，皱起了眉头，“愿望之码出题的时间快到了！”

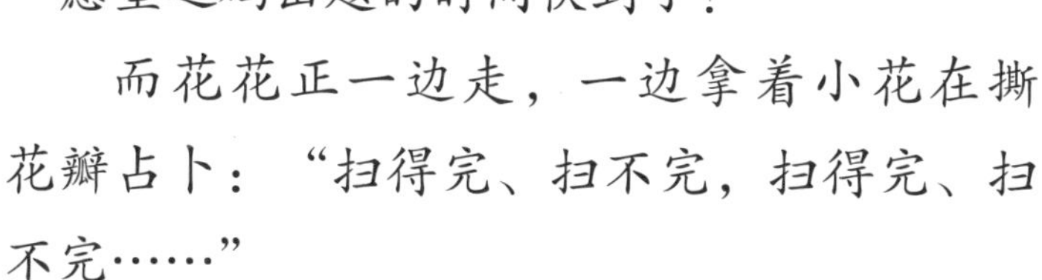

而花花正一边走，一边拿着小花在撕花瓣占卜：“扫得完、扫不完，扫得完、扫不完……”

小强跟在花花的身后，不停地扫她扔下的花瓣，郁闷地说：“花花，你前头扔花瓣，我后头跟着扫，怎么可能扫得完呢？”

“要你管，哼！”花花不理会小强，继续撕着花瓣，“扫得完、扫不完，扫得完、扫不完……”

这时，他们的同学小胖路过，手中的饮料刚刚喝完，于是他将空的饮料瓶当作足球在街上踢来踢去。

花花见状，立马冲了过去：“小胖，你这个不讲卫生的家伙！”

“哎哟，我这不是在运动减肥嘛！”小

胖狡辩说。

花花一脸严肃地教育他道：“爱护环境，人人有责，难道你不知道吗？再乱扔垃圾的话，罚你跑500圈！”

“知道啦，知道啦！”小胖自知无理，只好将饮料瓶捡起来，扔进了垃圾桶。

“就会说别人，不会说自己。”小强在旁边小声嘀咕。

另一边，依依也在奋力工作。她擦着电线杆上的小广告，越擦越生气：“地球人为什么这么爱乱贴东西呢？气死我了，我擦、我擦……”

就这样，顶着热辣辣的太阳，他们一点一点地清理着大街。垃圾不见清理掉多少，他们的火气倒是越攒越多。唯有国王依然悠然自得地喝着饮料。

可恶的“牛皮癣”

电线杆、墙上贴的小广告，影响城市美观，被称为“城市牛皮癣”。墙上贴小广告、铺地砖类题目，通常涉及“面积铺贴问题”，通常用到“大面积÷小面积=数量”；但有时需要的小面积物件不能切割时，要先求每行贴几个，可贴多少行来求得。

例　题

一堵长30米、高3.2米的外墙，被密密麻麻贴满了小广告，假设一张小广告长8厘米，宽4厘米，那么这堵墙至少贴了多少张小广告?

方法点拨

将单位统一，30米=3000厘米，3.2米=320厘米

$3000\times320\div(8\times4)$

$=3000\times320\div32$

$=3000\times10$

$=30\ 000$（张）

所以，这堵墙至少贴了30 000张小广告。

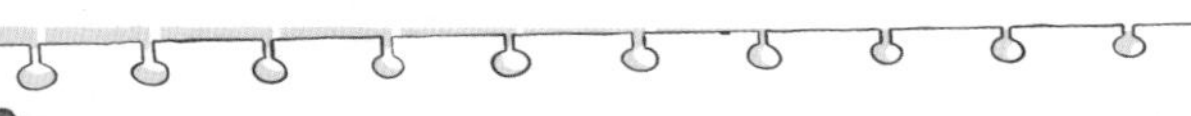

牛刀小试

依依课室的宣传黑板长4米，宽3米，同学们做的竖版手抄报都是长30厘米、宽40厘米的长方形，最多能贴几张?

8 校长又又又要使坏了

不远处的街角，校长和Milk一直在暗中偷看罗克他们打扫卫生。

校长一脸奸诈地笑道：“哈哈，天助

我也，全部人都在这儿，今天想答题，做梦吧！”他瞥了眼旁边放着两个巨型的垃圾桶，灵机一动：“Milk！”

可是此时的Milk正在校长背后，乐滋滋地享受着美味的蛋糕，完全不理校长。

“Milk！Milk？”校长见Milk只顾着吃蛋糕，对他爱理不理的，有些生气，“Milk！我叫你呢，你没听见吗？”

Milk一脸傲慢，看都不看校长，继续吃着蛋糕：“你想不听我说话就可以将我消音，我今天也不想听到你的声音。”

“你……你少给我装蒜，赶紧隐身把这些垃圾扔到街上去。”

Milk把头转到一边，坚定地说：“哼，我才不干呢！”

校长看硬的不行，就用软的。他的语气变得温柔起来，哄着Milk说：“乖乖，等你完成任务，我买两个蛋糕给你吃。”

Milk假装听不见：“你说什么？”

校长压住怒火，继续加大筹码：“5个蛋糕？”

“喂，喂？你找的人不在哦？” Milk假装接电话，并不理会校长。

校长加大嗓门喊：“10个？”

“嘟嘟嘟。”Milk自导自演“电话又响了起来”！

校长看上去随时会情绪爆发：“Milk，你可不要一再挑战我的耐性哦，20个！”

“什么？你说什么？我听不到！”Mil无动于衷。

校长的脸被气得通红，他一咬牙，大喊道：“一口价，40个！”

“成交！”Milk双眼冒光，一口答应。

Milk隐身后，把垃圾桶中的垃圾扔在路上，让好不容易清理干净的街道，又变得一片狼藉。

躲在街角的校长看到这一切得意不已：“嘿嘿，接下来，你们就等着累趴吧！”

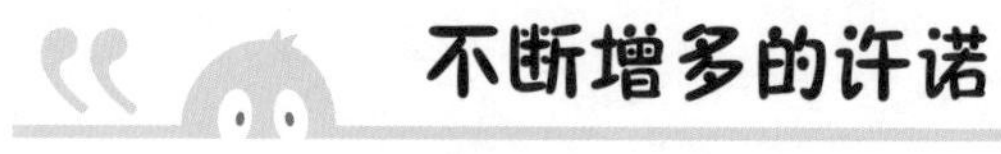

不断增多的许诺

校长想使坏，付出的代价可不少。从第三次起，他每次报的蛋糕数都是前一次的2倍。

如果一个数列从第二项起，每一项与它的前一项的比值等于同一个常数，这个数列就叫作等比数列。这个常数叫作等比数列的公比。

例题

有一列数：

5，10，20，40，…

照这样下去，第八个数是多少？

方法点拨

我们发现，这列数的规律是：

第一个数：5

第二个数：5 × 2

第三个数：$5\times2\times2$

第四个数：$5\times2\times2\times2$

那么第八个数是：

$5\times2\times2\times2\times2\times2\times2\times2=640$

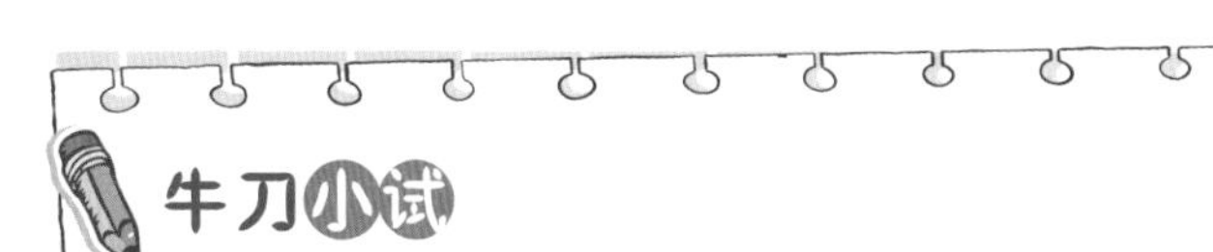

牛刀小试

有一列数：

3，9，27，81，…

照这样下去，第8个数是多少？

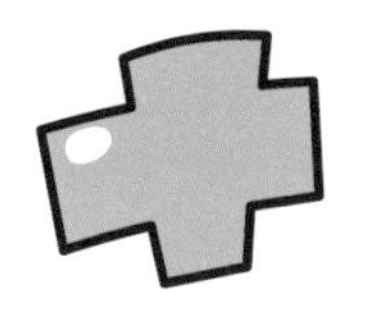

从天而降的垃圾

此时，国王敷着面膜躺在沙滩椅上，流着口水，睡得正香。加迷迷糊糊地给国王扇着风；减捧着饮料，吸管不听使唤，老是戳到国王的鼻孔；乘和除则站在沙滩椅旁打

瞌睡。

罗克、依依、花花、小强和UBIQ拖着疲倦的身躯，来到国王的身边，罗克有气无力地喊道：“国王！”

国王闭着眼睛，挥了挥手，让他走开，不要打扰自己睡觉。

罗克很气愤，在国王的耳边大吼：“国王——王后来了！”

加、减、乘、除被吓得立刻惊醒站直！

国王更是被吓得整个人从沙滩椅上跳了起来：“王后？王后？”慌乱中，国王还拿出镜子照来照去，“一定要让王后看到我最帅的样子……人呢？王后，你在哪里？”国王左右查看，并没有发现王后的身影，却发现罗克、依依、小强都捂着嘴巴偷笑，顿时明白是罗克在骗他。他愤怒地指责罗克：“罗克！你怎么可以戏弄我？”

罗克耸了耸肩，没好气地说：“哈哈，谁让你怎么都叫不醒。不过，有个好

消息要告诉你哦！我们已经成功完成打扫任务了。”

国王看看手表，得意地说：“你们能按时完成任务，归功于我指导有方，来，让我检查检查。”

乍一看，街道比之前干净了许多，国王露出满意的表情。可一走到街角，国王脸色大变，生气地说：“搞什么？这也叫干净？”

罗克等人上前一看，大吃一惊，几分钟前还干干净净的街道，现在已经是遍地垃圾。

“这这这……发生什么事情了？”小强觉得难以置信。

罗克也想不通：“刚才还是干干净净的啊！”

花花已经火冒三丈：“太过分了，谁在乱扔垃圾！”

语音刚落，一些果皮、废纸和吃剩的鱼

骨从天而降，洒得满地都是。

原来是Milk一边跳着芭蕾舞，一边抛撒垃圾，还得意地唱着：“我爱垃圾！啦啦啦！”

但Milk是隐身的状态，罗克等人看不见他，只看见垃圾从天而降，觉得非常诡异。

突然，罗克醒悟过来，他马上吩咐UBIQ：“快查查到底是谁在乱扔垃圾！”

UBIQ比了一个“OK”的手势，瞬间变成了探测仪，循着垃圾撒落的路线，开始红外线扫描，扫描结果显示在UBIQ的屏幕上。众人凑近一看，一个奶瓶似的轮廓在屏幕上舞动着，原来是Milk在边跳舞边扔垃圾！

依依生气地举起抹布说：“原来是Milk，看我不把你抓住！”

众人根据UBIQ的提示，跑上前去，大喊道：“Milk！你给我住手！”

Milk转头一看，只见罗克他们正向自己

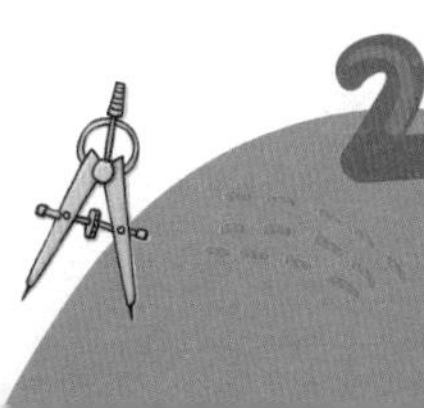

跑来。知道事情败露，Milk立刻拿起一袋垃圾朝罗克等人扔过去，想趁机逃脱。

罗克急喊：“大家小心——”

幸好，UBIQ反应够快，它从手中射出一个大网，将所有飞向他们的垃圾都装了起来。

紧接着，UBIQ将装起来的垃圾捆绑好，并将其变为一枚圆圆的大炮弹向Milk射了过去，Milk随即中弹落地。

罗克兴奋地喊道：“打中了，打中了！”

“哎哟！疼……”被打倒在地的Milk逐渐现形。

“在那里！我们抓住他！”国王一马当先，带着加、减、乘、除跑了过去，将Milk扑倒在地。

“国王？”Milk吓了一跳。

国王生气地责骂道：“Milk，你做坏事，我要把你踢出我的宇宙粉丝俱乐部。”

Milk一听便慌了，哀求道：“不要啊，

国王，我保证以后再也不做坏事了。千万不要踢我出去！”

国王摸摸Milk的头，欣慰地说：“这才乖嘛！”

罗克无奈地看着这出偶像与“粉丝”间的“感人”大戏。突然，他像想到了什么，脸色一变，紧张地说：“糟了，愿望之码快要出题了，我们要马上赶过去。”

“可是街上这么多垃圾，警察一定不会放过我的……”国王苦恼地说。

罗克托着下巴，想了一下：“这样吧，大家分头行事，你们在这里打扫卫生，我和UBIQ去答题！”

“咦，我也是这么想的，大家快开工吧！”国王同意罗克的提议，然后转身对Milk说道，“你愿意和我一起打扫卫生吗？你愿意和我一起进行垃圾分类，保护环境吗？”语气既威严又不失温和。不知道为何，国王说这些话的时候，整个人都好像发

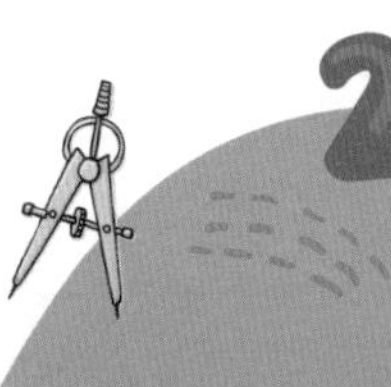

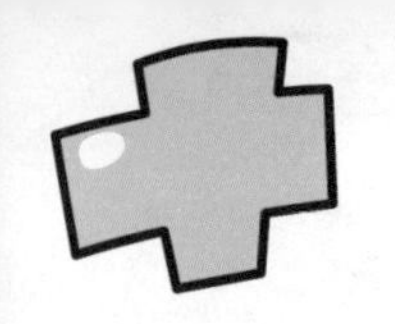

着光一样。

Milk被国王那“圣光”环绕的伟岸形象深深地迷住了，不自觉地说道：“我愿意，我愿意……”他一边说，一边用脑袋在国王手臂上蹭来蹭去，“国王，你是我见过最热爱环保、最善良、最帅气的人了。”

大家很无语地看着Milk的举动。

小强笑着说：“哈哈，我终于找到比我更傻的人了！”

国王嫌弃地用手指推开Milk的头，抽出被Milk抓住的手臂，说道：“我们开工吧！”

“UBIQ，我们得抓紧时间了。”罗克也准备出发。

UBIQ点点头，然后变成了一块滑板。罗克跳上滑板，迅速飞往广场。

垃圾大炮弹

由三条线段围成的图形（每相邻两条线段的端点相连）叫作三角形。

两条边相等的三角形叫作等腰三角形，有一个角是直角的三角形叫作直角三角形，同时满足这两个条件的被叫作等腰直角三角形。

例题

UBIQ身高1.5米，他从头顶射出垃圾大炮弹，圆圆的垃圾大炮弹与水平线的夹角为45度，击中Milk并垂直落地。如果依依量得垃圾大炮弹落地点与UBIQ的距离为3.5米，那么Milk离地面多高?

方法点拨

如右图，虚线三角形是等腰直角三角形。两腰相等，都是3.5米。

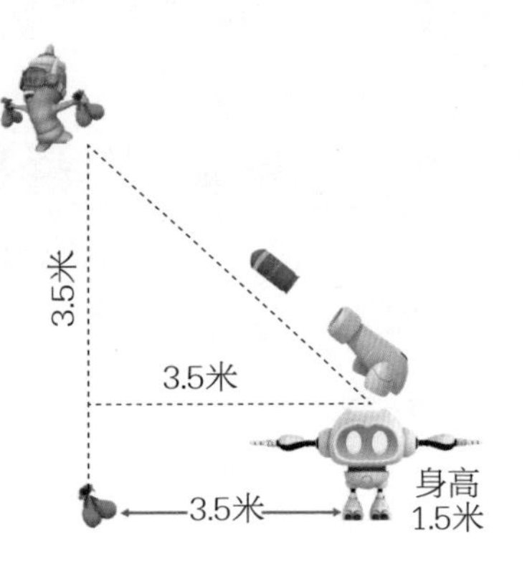

所以Milk离地面的高度为：3.5+1.5=5（米）

牛刀小试

两个等腰直角三角形中，阴影部分的面积为4.5平方厘米，$BE=EC$。求大的等腰直角三角形的面积。

校长又失望了

广场上的时钟指向12点，校长站在时钟下，一脸得意地奸笑："哈哈哈！这次终于没有人跟我抢了！"

这时，半空中闪现出七彩的光芒，愿望之码闪亮地出现在校长的面前，一如既往地说出了它的固有台词："算一算，想一想，实现愿望靠自己。大家好，又到了我愿望之码出题的时间了。"

校长一脸淡定，得意扬扬地说："哈哈，就只有我一个人，这次赢定了！"

可是，话音刚落，罗克就踩着滑板帅气

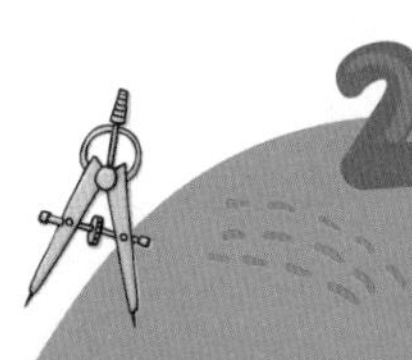

地出现在校长面前。

“哟嗬！校长，关键时刻总是让你失望。”罗克笑着说。

“为什么每次在紧要关头，总是有人要来捣乱呢？”校长十分抓狂。

“没事，以后让你失望的机会还多着呢！”罗克略带挑衅地说。

“罗克，你少得意，谁能答对还不知道呢！”校长有些气急败坏地说。

“那你好好看着咯！”罗克也不甘示弱。

愿望之码将答题现场封闭，并开始出题：“今天的题目是这样的，在下面的算式里，4个小纸片各盖住一个数字，请问，被盖住的4个数字之和等于多少？

$$\begin{array}{r} \square\square \\ +\ \square\square \\ \hline 1\ 4\ 9 \end{array}$$

请在30秒内作答，答错将由另一方补答。”

罗克脑筋转得飞快，自信满满地抢答说：“这道题怎么可能难得倒我呢，答案是23！”

“你怎么算出来的？”校长不服。

罗克讲解道：“根据算式可知，和的个位数是9，说明被加数与加数的个位数之和是9。因为两个加数的个位数之和最大是18，不可能是19，说明个位数相加没有进位，所以两个加数的个位数之和为 9 ，十位数之和恰好是14。这样答案就出来了：被盖住的4个数字之和等于14+9=23。”

“回答正确。”愿望之码确认了罗克的答案。

罗克笑嘻嘻地说：“校长，不好意思，我又赢了你一次。”

校长很生气：“罗克，你少得意，下次走着瞧！”

愿望之码询问罗克的愿望，罗克想了想，突然露出一脸坏笑：“我的愿望是让校

长和Milk到垃圾场去旅游。”

校长大惊失色道：“不要啊！罗克，你记着，我不会放过你的！我……”

只见，校长的话还没有说完，身上便发出一道光芒，整个人凭空消失了。

罗克挥着手说：“校长，再见了！祝你们在垃圾场玩得开心！哈哈哈！”说完，UBIQ和罗克高兴地击掌，庆祝又一个完美的结局！

数字谜

在某种算式中，含有一些用空格或字母符号表示的待定数字，要求填上合适数字，使算式成立，这类问题属于数字谜问题，愿望之码出的题是一道加法数字谜，加数的数字之和与和的数字之和差9的倍数，倍数由进位次数决定。

例　题

在下图的算式里，7个小纸片各盖住一个数字，请问：被盖住的7个数字之和等于多少？

$$\begin{array}{r} \square\square\square \\ +\ \square\square\square\square \\ \hline 2\ 0\ 2\ 0 \end{array}$$

方法点拨

因为百位数和为0，首先判断百位一定会进位。

如果有一次进位，那么两个加数的个位数和为0，十位数和为2，百位数之和为10，千位数之和为（2−1），各位数之和为2+10+（2−1）=13。

若有两次进位，进位的可能是百位和十位，也可能是百位和个位。各位数之和为12+9+1=22或10+1+10+1=22，即4+2×9=22。

若有三次进位，即10+（12−1）+（10−1）+1=31，即4+3×9=31。

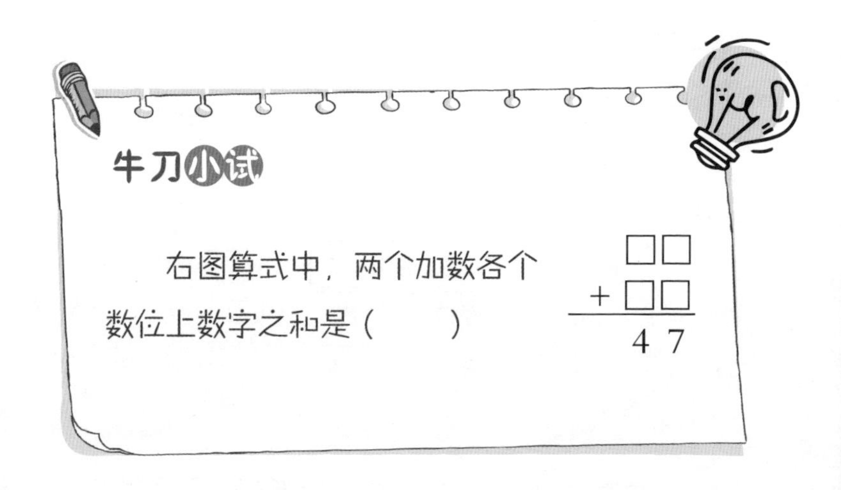

阿基米德的
数学手稿

又是天气晴朗，风和日丽的一天。城堡里，罗克、小强和UBIQ正在打游戏，依依则在辛勤地打扫着房间。突然，花花走了进来，一手拿起电视遥控器，切换到了新闻台。罗克和小强原本已经打到最后一关了，现在被花花这么一弄，功亏一篑。两人愣住了，呆呆地张大着嘴巴，一时说不出话来。

罗克好不容易回过神来，扭头看到花花拿着遥控器，便生气地问道："花花？你干吗突然换台呀？"

小强敢怒不敢言，只能跟着小声地抱怨

道：“好不容易才打到最后一关……”

这时在一边的依依看不下去了：“你们就别一天到晚顾着打游戏了，帮忙打扫一下城堡的卫生呀！”罗克和小强顿时觉得有些羞愧，便也不再说什么。

花花似乎并没有将罗克和小强的抗议当回事，她兴高采烈地说：“你们都过来跟我一起看电视啊，今晚我爸爸要做大明星，接受电视台的独家采访了。”

听花花这么一说，罗克、UBIQ、依依和小强既怀疑又好奇。

罗克难以置信地说：“真的还是假的？国王要上电视啦？”

花花骄傲地昂着头说：“看了你就知道，我就要成为大明星的女儿了。”

依依一脸不屑地说：“又要开始做白日梦了。”

花花没理会她，兴奋地指着电视说：“你们看，开始了！”

众人立刻将目光投向电视画面，只见镜头全方位地展示着一个展览现场，并最终定格在一本手稿上。

记者解说道："各位观众，数学之神阿基米德的数学手稿'全球小学展览之旅'即将在幸福小学拉开帷幕。为了保护好如此珍贵的手稿，学校特别增强了安保力量，现在，就让我采访一下这位保安队长。"

花花兴奋地大喊道："保安队长就是我帅气的爸爸！爸爸！爸爸！"

镜头对准了国王，但是国王并没有发现镜头已经给到自己，还在拿着镜子左边照照，右边照照，摆出各种既自恋又奇怪的姿势。电视机前的罗克等人看得尴尬不已。

记者立即提醒国王："咳咳！保安队长……"

国王转头一看，发现摄像头正对着自己，于是立即调整好状态，找准角度，摆出自认为最帅的表情对着摄像机，一脸认真地

对记者说：“你看我的皇冠有没有歪掉，衣服穿好了吗？”

记者耐着性子回答道：“很好很好！一切都很好！”

但是国王瞥了一眼镜头，很不满意地继续说道：“能不能让你的镜头拉远点，太近会显得我的脸胖，侧身45度的我是最帅的哦！”说完，国王侧身45度对着镜头。

记者无奈地朝摄影师招招手：“我们还是另外找一个人采访吧！”

正当记者和摄影师准备转身离开之际，国王一把拉住了记者，笑着说：“别走，别

走，我已经准备好了。”镜头再次对准了国王，国王立刻把手中的镜子扔给了一旁的加，然后对着镜头兴奋地说：“花花，花花，爸爸终于上电视了，你看到了吗？”

电视机旁的花花一脸崇拜地看着画面中的国王，脸都快贴到屏幕上了。她忍不住感叹道：“我爸爸真帅，你们看见了吗？”说完又挺胸叉腰，一脸神气地补充道，“我现在是大明星的女儿，你们可千万别嫉妒我。”

“切！”众人并不理会花花，只是继续盯着电视画面，想知道接下来会发生什么。

摄影中的构图

记者采访时，国王很注重拍摄角度和构图。我们也来学学照片的一些构图知识吧！比如九宫格构图和黄金比例构图。

例 题

黄金比例构图：四个交叉点就是黄金比例点，就是图片的焦点和视觉中心。四个交叉点怎么得来的?

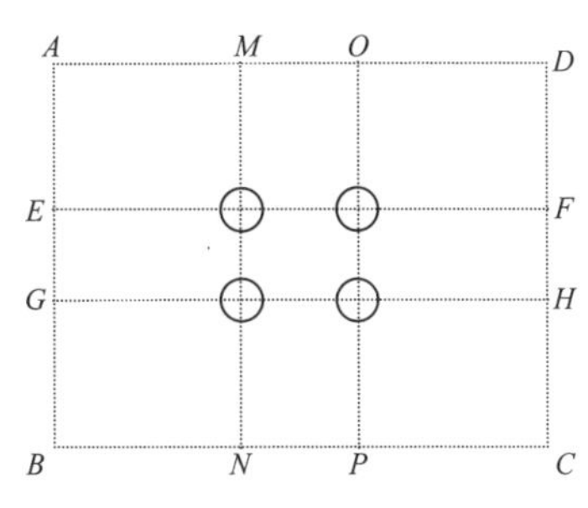

方法点拨

把一条线段分割为两部分，使其中一部分与全长之比等于另一部分与这部分之比。如 $AO:AD=OD:AO$

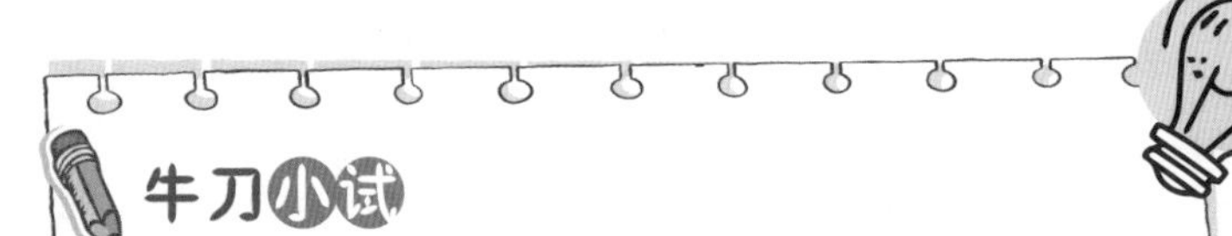

牛刀小试

九宫格构图：简化了的黄金比例构图。横竖三等分，形成9个方块，其中4个交叉点就是视觉中心点，裁剪构图的时候，把主题展现的事物放在交叉点上。试用九宫格构图分析，菊花落在哪个交叉点最好看？

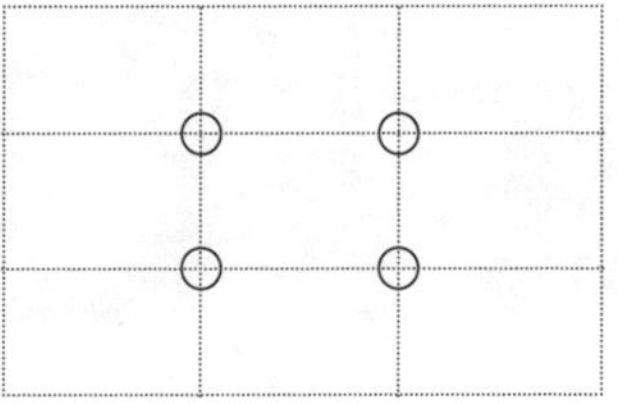

阿基米德手稿不见了

“请问你们将采取什么措施，保护好这份独一无二的手稿呢？现有的人手能够保证手稿的安全吗？”记者再次问道，强行将国王拉回正题，说话的同时，镜头也随之对准摆放阿基米德手稿的展柜。此时，加、减、乘、除四人正拿着各自的武器，在展柜的四周巡逻，当他们发现摄像机对准他们后，马上抓准机会对着镜头做出“耶”的手势。

国王可不会放过任何一个镜头，他一个闪身，再次出现在镜头前，自信满满地说：“你就放心吧，我和我的侍卫们都是顶级高

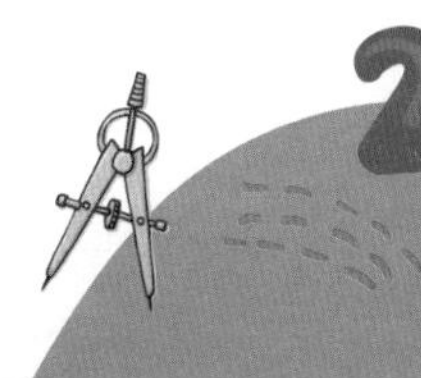

手，肯定不会有人敢来偷手稿……”

“砰！砰！砰！”突然，展会的四周连续传来了电灯爆炸的声音，现场顿时陷入了一片黑暗。漆黑中传来了记者和国王的尖叫声。

记者惊慌地喊道：“啊——发生什么事了？”

国王则已经缩成一团：“加、减、乘、除，你们在哪里？我怕黑！”

幸好，不到一分钟，灯就重新亮了起来。镜头四处寻找国王，最后发现国王和加、减、乘、除蹲在了一张桌子下面，瑟瑟发抖。

这时记者从地上爬了起来，定睛一看四周情况，立刻惊恐地大喊道：“啊——阿基米德的数学手稿不见了！”镜头立刻对准摆放阿基米德手稿的展柜，只见里面空无一

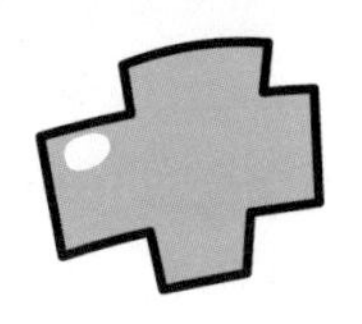

物，手稿不翼而飞了。

这时，记者的表情忽然从吃惊变成了兴奋：“独家新闻，我抢到独家新闻了，别让他走了，截住他！”

原来国王见手稿被盗，害怕被追究责任，于是躬着背，鬼鬼祟祟地想溜走，加、减、乘、除也跟在国王背后想一起溜。但是记者迅速地跑到了国王的面前，挡住了他的去路，一下子把话筒伸到国王的面前，问道：“队长，队长，你知道是谁偷走了手稿吗？”

“当然！”国王泄气地说道，“不知道！”

记者继续追问道：“盗贼如此轻易地偷走了手稿，是不是和你们疏于安保有关系呢？事发前，你们是否有所警觉呢？”

“呜呜呜呜！”这时，国王被问到语塞，突然大哭起来……

城堡这一边，花花等人刚看到电灯爆炸

的那一刻，直播就中断了，屏幕上满是雪花点点。之后也一直没有信号，这让花花他们非常着急。花花一边拍打着电视机，一边哭喊：“爸爸，爸爸，你去哪里了？”

罗克安慰道：“花花，你别担心，可能只是信号中断。”

罗克话刚说完，身后就传来了开门的声音。众人转身一看，只见国王满头大汗地走了进来：“我……我回来了。”

花花看到爸爸又惊又喜，连忙跑过去抱住爸爸，关心地问：“爸爸，刚刚发生什么事了？为什么电视直播中断了？”

国王表情沮丧，略带哭腔说：“唉，在采访的过程中，阿基米德的数学手稿被盗了。”

“什么？”众人大吃一惊，“现场这么多人，盗贼是怎么得手的？”

国王皱着眉，摇摇头说：“我也不知道，展览负责人说明天中午前一定要找回手

稿。校长也给我下了最后通牒，如果找不到手稿，我就要收拾包袱走人。”

“那你现在有头绪吗？”依依问道。

国王继续摇摇头，绝望地叹了口气：“唉，我要失业了，我是个失败的人。”

“爸爸，你别担心。”花花上前搂着国王，“我们会一起帮你的。对不对，罗克？”花花扭头看着罗克说。

罗克点点头，肯定地回答道：“对，国王，你放心吧，我和UBIQ一定会帮你的。”

国王还是一副没有信心的样子，说：“连警察都没办法，你们这些小孩能做什么？”

“照我看，这起失窃事件可不简单，我们要对案发现场重新进行侦查。”罗克似乎已经有了主意。

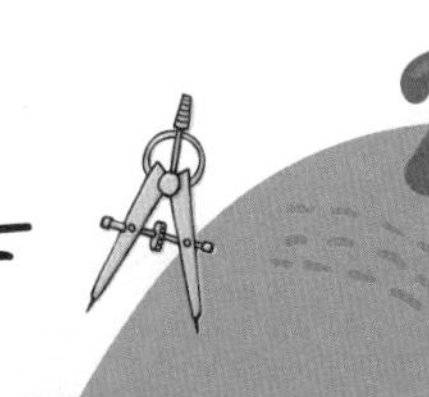

胖警长审案

逻辑推理问题考验的是我们对事物的推理能力，常见的有：是非型和真假型逻辑推理。逻辑推理既可以顺向推理，也可以用假设法逆向推理。

例题

罗克、花花和小强中有一个人做了一件好事，国王询问时，他们的回答如下：

罗克：不是我，也不是花花。

花花：不是我，也不是小强。

小强：不是我，是罗克。

国王一再追问下，他们承认，每个人讲的都有一半是真话，一半是假话，请你帮国王分析一下，究竟是谁做了好事？

方法点拨

使用假设法推理：如果是罗克做的，那么花花说的全是真话；如果是花花做的，那么罗克、小强和花花的话都是一半真一半假。如果是小强做的，那么罗克说的是真话。

所以，是花花做了好事。

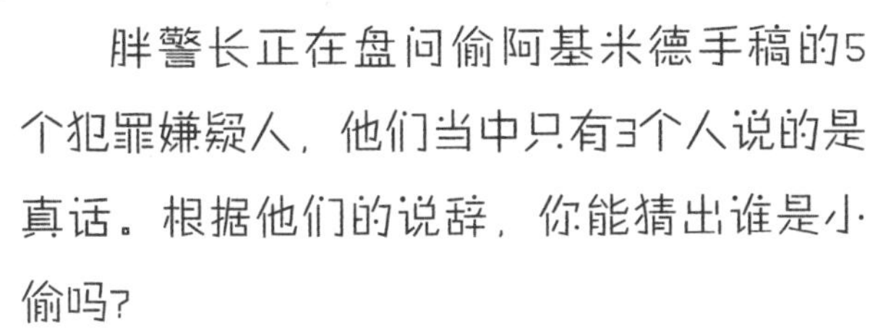

胖警长正在盘问偷阿基米德手稿的5个犯罪嫌疑人，他们当中只有3个人说的是真话。根据他们的说辞，你能猜出谁是小偷吗？

A．D是小偷。

B．我是无辜的。

C．E不是小偷。

D．A说的全是谎话。

E．B说的全是真话。

罗克和UBIQ在国王的带领下来到了展会现场，只见原本放置阿基米德数学手稿的地方，现在拉起了警戒线。

罗克拿出笔记本和笔，学着电视上侦探的样子，一边细心地观察现场，一边记录重要线索。

“国王，案发时，现场都有谁？”罗克想知道更多有关案件信息。

国王回忆说：“除了我和加、减、乘、除外，还有两名记者。”

罗克又问：“那案发后，还有谁来过这里？”

“自手稿被盗后，案发现场就立刻被封锁起来了，没有人再进来过。”

罗克高兴地笑了笑：“那太好了，UBIQ，现在就看你的了。”

UBIQ点了点头，打开了它的红外线扫描系统，从显示屏中射出的红外线迅速覆盖整个展厅。不一会儿，地面上出现了几种不同的脚印，而放阿基米德数学手稿的展柜上，还有一大一小、一高一低的两种手印。

国王仔细对比地面显现的脚印后说：“这不是我的脚印。咦？这个怎么看都不像是人类的脚印啊。”只见其中一对脚印圆圆的，并没有前脚掌和后脚跟之分。

罗克也发现了问题：“你们快看，玻璃罩上有一大一小的两种手印，展台上也有一高一低的两种手印。”

国王伸手按在其中一个奇怪的、不像是人类的手印上，疑惑地说：“这个手印好奇怪啊。”

这时，罗克灵光一闪，脸上露出了自信的笑容，说道：“真相马上就要揭晓了。”

人体密码——脚印与身高

警察在破案时常根据脚印的长度来推断罪犯的身高。考古学家也会根据古代人脚印的长度来确定古代人的身高。

“脚印专家”根据脚印的大小，能够推测出罪犯的身高，这是符合科学的。科学家测量了许多人的身高和脚印长度之后，得出了从脚印长度推算身高的公式：

身高(厘米)=脚印长度(厘米)×6.876

例 题

假设罪犯留下的脚印长25厘米。参照下表，你能推测罪犯的身高范围吗?

身高/米	1.50	1.55	1.60	1.65	1.70	1.75	1.80
脚印长度/厘米	21 ~ 22	22 ~ 23	23 ~ 24	24 ~ 25	25 ~ 26	26 ~ 27	27 ~ 28
鞋码	35 ~ 36	36 ~ 37	37 ~ 38	38 ~ 39	39 ~ 40	40 ~ 42	42 ~ 43

方法点拨

查表，可见罪犯的身高可能在1.65～1.70米。当然，脚的生长还跟遗传、生长环境等因素有关。

牛刀小试

根据身高和脚印长度公式：

身高（厘米）=脚印长度（厘米）×6.876

假设罪犯留下的脚印长27厘米，那么这名罪犯大约有多高？

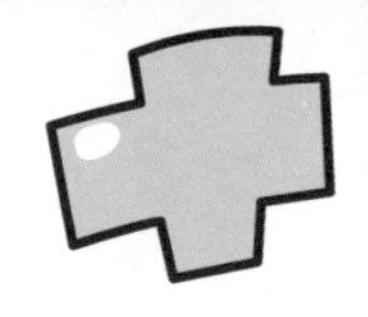

当“粉丝”见到偶像

这时，校长家里，Milk正目不转睛地盯着眼前的一个小保险箱，眼睛都看成斗鸡眼了。而浴室里，校长正一边洗澡，一边唱着歌，似乎心情很好。

Milk揉了揉酸痛的眼睛，一脸不满意地抱怨道：“保险箱又没脚，又不会自己跑掉，干吗一定要我盯着啊？”他用手捂住耳朵，“还要我听这么难听的歌。真是眼睛累，耳朵又痛啊！”

“咚咚咚！”突然一阵敲门的声音响起。

“嗯？有人？”Milk连忙起身去开门。

“惊喜吗？”只见国王站在门前，热情地对着Milk打着招呼。

Milk看到是国王，高兴得都要飞起来了，他激动地问道：“国王？怎么是你？”

国王一边探头向房间里面四处张望，一边说：“你忘了吗？今天是国王宇宙粉丝俱乐部一周年纪念日，我特地登门感谢‘粉丝’们啊！”

“是吗？可你不是上周才举办了纪念日派对吗？”Milk问道。

“那一定是……你记错了。”国王立刻转移话题，“难道你不想见到我，不想要我送你的礼物？”

“没有没有，怎么会呢？您快请进。”Milk连忙邀请国王进屋。

国王走进校长家，左看看右看看，仿佛在寻找什么，突然他开口问道：“校长呢？”

“校长正在洗澡，你找他有事吗？”

Milk说。

“没事！没事！”这时，国王的目光落在了桌子上的保险箱上，“咦，这是什么啊？”

“没什么，没什么！国王，你不是说要送我礼物吗？”Milk慌张地跑到保险箱前，用身体挡住保险箱。

“哦！我差点就忘记了……为了感谢你的支持，我特别送你一张手印合照。”说着，国王拿出一个用相框裱好，按手掌实际大小打印出来的手印图，只见上面有两只手印，国王指着那个正常的手印说，“这是我的手掌。”然后又指着另外一个只有拇指的手印说，“这是你的。”

“哇，我和国王连手印都有合照了！”Milk开心地说道。

国王说：“你快试试，跟你的手印是不是吻合？”

Milk马上把自己的手放在手印上比了

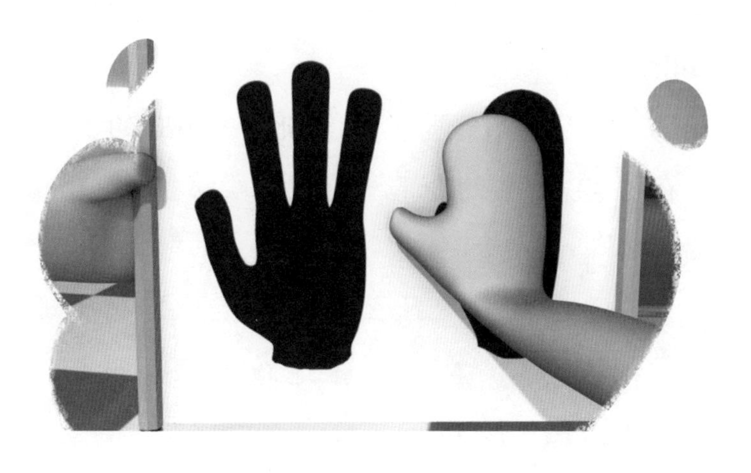

比，“真的一模一样哦！”他惊叹道。

国王哈哈一笑：“能和偶像手印合照，是不是很开心呀？”

“嗯嗯！真的很开心！不过，国王，你是怎么拿到我的手印的？”Milk疑惑道。

“这个嘛……这个嘛……”国王灵机一动，“因为你是我的头号‘粉丝’啊！”

“我还有一份礼物送给你。”国王说着，拿出一个装有微型摄像头的国王头徽，亲自给Milk戴上，“这也是只有头号‘粉丝’才有的哦，记得要随时戴着哦！”

Milk戴上头徽，开心得跳起来，说：

“今天是我最开心的日子！国王，谢谢您！”

这时，浴室内的水声消失了，国王连忙说：“好了，还有很多‘粉丝’等着我呢，我要走了，拜拜！”

国王前脚离开，校长后脚就从浴室走了出来。校长问道：“Milk，你刚才和谁说话呢？”

Milk高兴地回答道：“是我的偶像——国王大人！”

校长立刻紧觉起来：“什么？国王刚来过？”

“是啊，他还送了我两份很漂亮的礼物，我要开心死了！”Milk举着国王送的手掌图画和头徽，开心地原地转圈圈。

校长听了，又紧张又生气地骂道：“Milk，不是和你说了吗？不准随便给陌生人开门，也不准随便离开保险箱！”

“什么啊？国王不是陌生人啊！”Milk

满不在乎地说。

“你，你你……有没有让国王看到保险箱？”校长着急地问道。

“绝对没看到，我一直紧盯着，没有半点放松。”Milk拍着胸口保证道。

校长稍稍松了口气，随后又厉声说道：“我警告你，下次无论发生什么事，都不准离开保险箱半步！知道吗？”

Milk乖乖地点了点头，做了一个“OK”的手势。

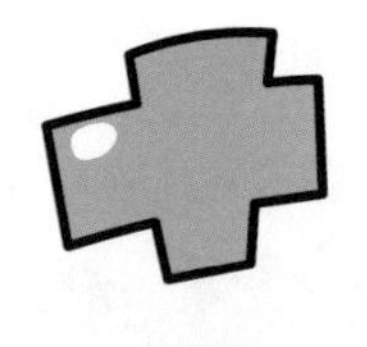

印画中的数学

生活中，手印应用很广泛，如手机指纹开锁、家里大门的指纹锁、指纹打卡考勤等。新生婴儿也会在出生证上留脚印。当作病历、出生凭证、纪念等，甚至是防止被抱错，因为人的手印和脚印是唯一的。

例 题

这些印画装扮了我们的生活。它们利用了图形运动的哪些知识?

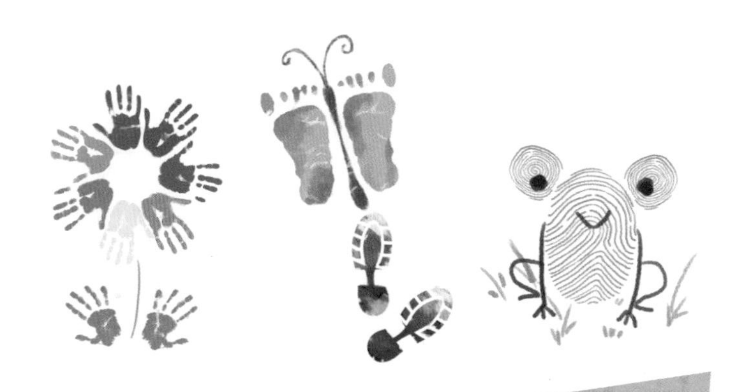

方法点拨

这些印画利用了手掌的平移、旋转画了花；脚印、指纹的轴对称画了蝴蝶、青蛙，鞋印的平移……构图很清新。

牛刀小试

利用指纹、掌印、脚印或鞋印画一幅画，可以利用到图形的平移、旋转、翻转和轴对称等知识。如果用到平移，请找平移的方向距离；如果用到旋转，请找旋转中心旋转方向和旋转角度；如果用到轴对称，请找对称轴，并量一量对称点之间的距离。

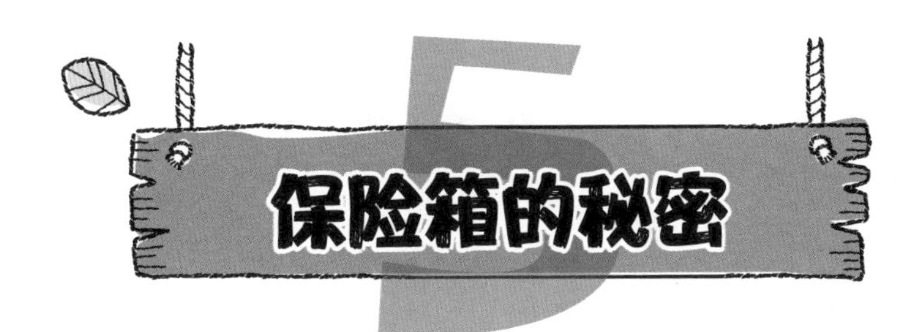

5 保险箱的秘密

城堡客厅里，罗克、UBIQ、小强、依依、花花等人正在着急地等待着。

这时，国王风风火火地推开大门，跑了进来，气喘吁吁地说：“罗克，你说得没错，那个大手印确实是Milk的。”

罗克一本正经地分析道：“这么说，小的手印是校长的咯？”

“为什么校长要监守自盗呢？”花花有些被弄糊涂了。

罗克笑了笑，说：“想知道校长偷走数学手稿的原因，这太简单了。UBIQ，让我

们瞧瞧校长在干吗？”

UBIQ点点头，打开了监控画面。只见

画面中出现一个人，而这个人正是校长，原来这是装在给Milk的头徽上的摄像头所拍摄到的画面。

此时，校长刚教训完Milk。

Milk受了委屈，一脸不解地问校长：“校长，那个阿基米米的手稿真的这么厉害吗？”

校长十分严肃地纠正Milk，说道：“不是阿基米米，是阿基米德，他可是古希腊伟大的数学家，只要我掌握了那些高深的数学知识，我就可以成为世界上最厉害的数学家了，拿下愿望之码也指日可待。”

Milk还是不明白：“校长，既然那个手稿这么重要，为什么你不随身带着？”

校长没好气地说：“笨蛋，万一手稿掉

进水里了，或者被偷了，又或者被你吃了，岂不是得不偿失，所以只有放在保险箱里才是最安全的！”

“可是校长，这个保险箱真的安全吗？”Milk居然不信任校长的保险箱。

校长翻了个白眼，鄙视地看着Milk，解释道：“这个保险箱密码是随时变化的，要想打开这个保险箱，必须要答对保险箱上的数学题。”

“啊？哪里有数学题啊？”Milk疑惑地围着保险箱转圈。

校长拿出遥控器，按下了一个按钮。只见保险箱的门上突然弹出一个半透明屏幕，上面显示着一道数学题。

Milk惊讶地高呼道：“哇——真的，上面真的有数学题！”

校长自信满满地说道：“这些数学题都是我精挑细选，全是难题中的难题，很少人能答对！”

Milk表示不信，跃跃欲试。

“好！那你数数图中有多少个三角形？”校长并不认为Milk能算对。

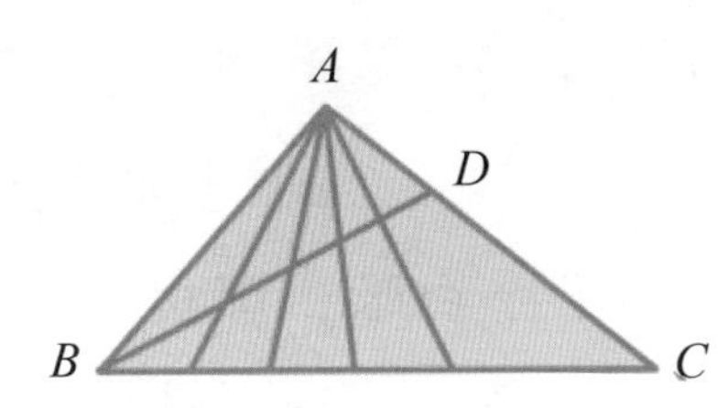

Milk看着图中的三角形，开始认真地思考起来。

校长得意地说：“怎么样，很难吧，答不出来吧？”

“校长，你太小看我了，我好歹也是数学星球的博士，这么简单的题目怎么会难倒我？答案是35个三角形！”

校长大吃一惊：“你是怎么算出来的？”

Milk一脸得意地解释道：“这很简单呀！可以采取分割的方法，把图形分成三个部分来数：

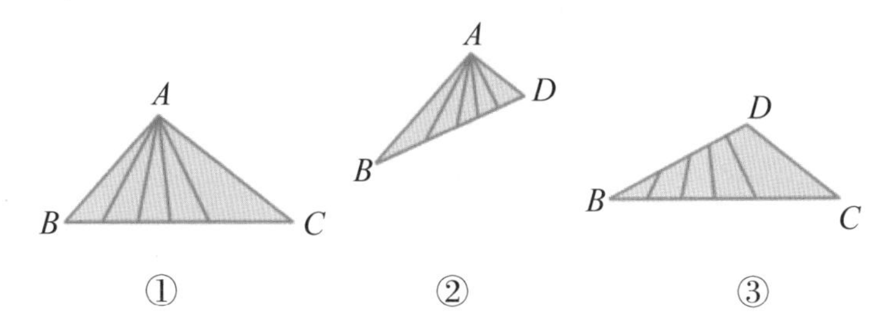

图①，一共有5+4+3+2+1=15个三角形。

图②，一共有5+4+3+2+1=15个三角形。

图③，一共有5个三角形。

将三个图的三角形数相加，即15+15+5=35个，所以图中一共有35个三角形。”

“答对了是你运气好，哼！”校长不服气，自言自语地说，“看来，我得把题目难度提高些！”

这时，Milk在保险箱的密码锁上输入35这个数字，保险箱门果然打开了。Milk兴奋地拿出了阿基米德数学手稿，用舌头舔了舔：“味道还不错，但有点咸。”

校长抬头一看，吓得连忙推开Milk，

迅速地把数学手稿放回保险箱里锁好，同时不忘警告Milk：“吃了我的手稿，你可赔不起！”

Milk耸了耸肩，说：“知道了！”

校长房间发生的一切都被罗克、国王等人看在眼中。国王站起来，激动得想马上去找校长算账：“原来是校长偷了数学手稿，不行，我现在就要去抢回来。”

罗克连忙拉住国王：“别着急，我有一个计划。我们明天再去把手稿偷回来！”

这时，依依突然想到了什么，立刻提醒罗克：“你忘了吗？明天是愿望之码出题的日子，如果你去偷手稿，谁去答题？”

罗克想了想，说：“这样吧，我们兵分两路，我和国王、UBIQ去偷手稿，你和花花、小强负责答题，有问题吗？”

“有问题！你打算怎样偷手稿呢？它

可是被装在保险箱里，时时刻刻都有人看守的。”国王有些疑虑地问。

“嘿嘿，让我来告诉你我的计划。”罗克狡黠一笑，凑到国王耳边小声说道，“明天我们就这样……这样……”国王一边听，一边微笑着点头，看起来这个计划还挺不错。

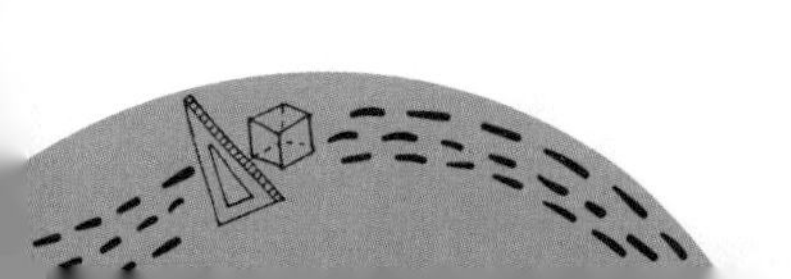

数图形的个数

要想不重复、不遗漏地数出线段、角、三角形、长方形……要从基本图形入手，弄清图形中包含的基本图形是什么，有多少个；再数出由基本图形组成的新图形，最后求出它们的和。有次序、有条理地数，寻找规律。

例题

下图中有多少个正方形？

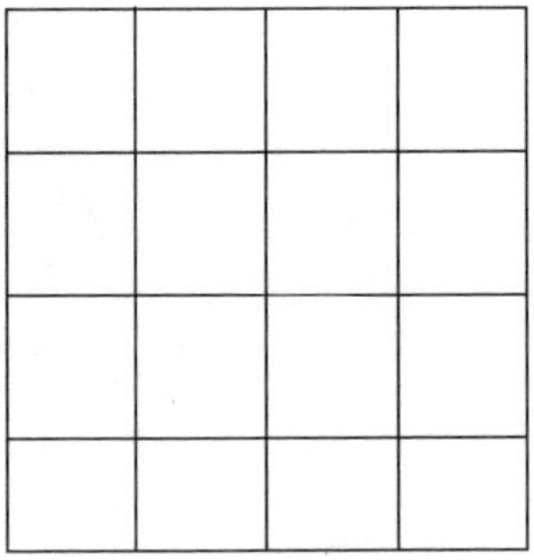

方法点拨

我们可以采取分类找规律的方法：

1×1的正方形个数：

4×4=16（个）

2×2的正方形个数：

3×3=9（个）

3×3的正方形个数：2×2=4（个）

4×4的正方形个数：1×1=1（个）

所以共有16+9+4+1=30（个）正方形。

牛刀小试

数一数，图中有多少个长方形。

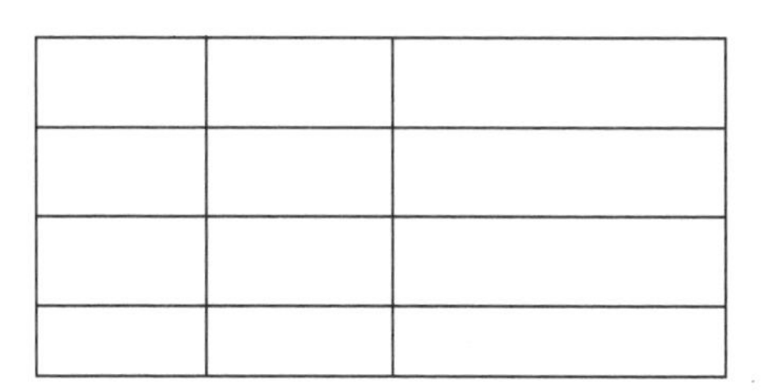

6 夺回手稿大行动

第二天，天刚亮，国王、罗克和UBIQ就已经开着车来到了校长家的附近。车子慢慢地停在了路边，他们蹑手蹑脚地走到了校长家门口。罗克示意众人不要发出声响，三人伏在门口，侧耳倾听房间里面的动静。里面除了Milk震耳欲聋的呼噜声外，并没有其他声响。

罗克点了点头示意大家准备行动。国王立刻跳了起来，一脚踢开了校长家的大门，冲了进去。罗克和UBIQ被国王的举动惊呆了，站在门口不知如何是好。

在二楼睡觉的校长被“砰”的一声吓得从床上坐了起来，迷迷糊糊地喊道：“发生什么事了？”

楼下的罗克、UBIQ连忙跑进屋子，捂住国王的嘴巴，不敢再发出一点声音。

“难道是我幻听了？”校长看了看床边的保险箱和地上睡得正香的Milk，“没事，保险箱还在，可能是Milk的呼噜声。”说完，校长用被子盖住头，继续睡。

看到校长并没有起疑心，罗克松了一口气，放开了国王，小声埋怨道：“国王，不是说好大家要互相配合的吗？你怎么能随便就踢开门呢？”

国王摸摸头，尴尬地说：“刚刚我看你点头了，以为你同意我踢门进来的！”

“你……算了……”罗克差点被气晕，又不能拿国王怎么样，只好转身对UBIQ说，“我们先找出保险箱的准确位置吧！”

UBIQ点点头，打开红外线对校长家进

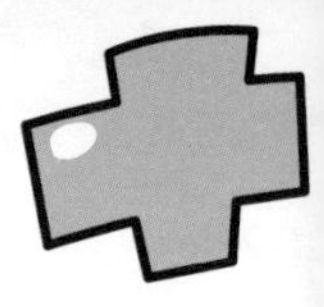

行全面扫描。片刻后，红外线锁定了保险箱的位置——在二楼，校长的床边。接着，UBIQ在天花板上对应保险箱的位置画了一个红色的长方形记号。

罗克抬头看着天花板上的记号，冷静地对国王说："这上面就是保险箱了！"

国王听后兴奋地说："太好了！终于找到了！不过这隔着一堵墙，罗克，难道你要隔墙取物？"

罗克得意地说："嘿嘿，你就等着瞧吧。UBIQ，行动！"

UBIQ把双手伸长，一直伸到了天花板上，然后将四个圆形的小型炸弹分别粘贴在了长方形的四个角上。

国王疑惑地问道："罗克，UBIQ装的是什么？"

"马上你就知道了，赶紧躲起来。"说着，罗克拉着国王和UBIQ躲在了旁边的桌子底下，"校长，我来叫你起床啦，

哈哈！”

时间倒数5秒：5，4，3…

突然“轰”的一声巨响，放保险箱位置的墙体碎裂，保险箱也随即掉落了下来。

“发生什么事了？”校长从睡梦中惊醒，看见地板破了一个长方形的洞，大呼，“我的保险箱呢？”说着，他从洞里探头向下望，看见了罗克、国王和UBIQ。

“校长，早上好！”罗克得意扬扬地说。

国王也笑着嘲讽道：“想炒我鱿鱼，没那么简单，哼！”

说着，他们抬着保险箱，一溜烟地冲出了校长家！

“罗克，我不会放过你的！”校长气急败坏地跳下床，一脚踢醒了还在呼呼大睡的Milk，“保险箱被罗克偷了，我们赶紧追！”

“唔……是！”Milk在半梦半醒中跟着校长追了出去。

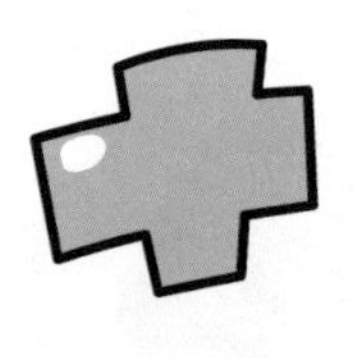

校长家地板被精准爆破了

UBIQ利用精准爆破技术帮国王取回了保险箱。这种精准爆破技术在医学上也取得了喜人的成绩：莱斯大学的物理学家Dmitri Lapotko团队研究了新型纳米技术定向精准爆破癌细胞，使用超短波红外线脉冲即可加热纳米金属颗粒“炸死”癌细胞。

纳米(nm)，也叫毫微米，是长度的度量单位。

1纳米=10^{-9}米=0.000 000 001米

1纳米=0.000 001毫米

例　题

假设一根头发的直径是0.05毫米，垂直于这根头发的某一条直径，把它轴向平均剖成多少根，每根的厚度大约是1纳米?

方法点拨

1纳米=0.000 001毫米

0.05÷0.000 001=50 000（根）

所以，把它轴向平均剖成50 000根，每根的厚度大约是1纳米。

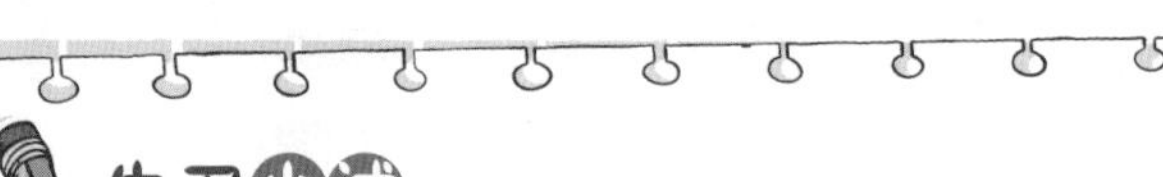

牛刀小试

一台电脑，它的CPU和显卡标明“45纳米”，这台电脑的CPU和显卡晶体管的尺寸是多少毫米？

7 速度与激情的追逐

此时，天色已经完全亮起来了。国王开着车，载着罗克和UBIQ行驶在商业街附近的马路上，而在他们后面不远处，Milk也开着校车，载着校长紧追不舍。

国王负责开车，罗克和UBIQ则负责研究怎样打开保险箱。校长的车越来越近了，国王紧张地问罗克：“打开保险箱了吗？”

罗克不停地转动密码锁，但保险箱还是毫无反应，罗克皱着眉，无奈地说：“打不开。”

“什么？那现在要怎么办？”国王一下

子慌了神。

罗克思索了一下，说：“我们先甩掉校长，再把保险箱交给展览会的负责人吧！”

“好！就让数学荒岛的第一赛车手给你露两手吧！”说着，国王一踩油门，车子立即加速，在马路上快速穿插前行。

校车内，Milk负责驾驶，而校长则站在旁边，得意地拿着一个遥控器，说：“没有这个遥控器，是无法启动保险箱的答题解锁系统的，即使他们偷了保险箱也没有用！”

“校长，你好厉害啊！”Milk一脸崇拜地说。

校长打了一下Milk的头：“专心点，跟丢了，我找你算账！加速！”

“校长，这里限速60 千米/时，超速会被警察抓的。”Milk一脸无奈。

“我不管，快给我踩油门！”校长对着Milk咆哮道。

被校长吓到的Milk只好提心吊胆地加

速，用最快的速度去追赶国王的车。就这样，当国王的车拐进一条几乎没有什么车的马路上后，校长的车很快地追了上来，几乎和国王的车子并行。

校长从车窗探出头，张牙舞爪地威胁道：“快停车，把保险箱还给我！”

眼看校长的车就要超过国王的车了，罗克紧张地大喊：“国王加油，不能被他们拦住！”这时，国王看见前方不远处有一条小岔道，灵光一闪：“放心交给我吧！”说着，国王一个漂移，瞬间转进了小岔道。

而当Milk反应过来的时候，校车已经开

过了小叉道。校长生气地直跺脚：“可恶！Milk快掉头跟上去！”

Milk却说：“校长，不按导向车道行驶，要罚款200元呀！”

校长才不管什么罚款，他怒吼道：“你不听我的话，今晚的蛋糕就全部没收！”

Milk一听到自己的蛋糕会被没收，吓得连忙打方向盘掉头跟了上去。

罗克和国王刚以为甩掉了校长，却又发现前方遇到了红灯，国王只能停下等红灯。这时，罗克紧张地转头一看，发现校长的车就在他们后方不远处，中间只隔了几辆车而已。

国王急躁地敲打方向盘：“讨厌的红灯!”

罗克看着前方的红绿灯，陷入了沉思，突然他灵机一动：“我想到办法了，UBIQ，你能把商业街的所有红绿灯的位置和数量统计出来吗？”

UBIQ做了一个“OK”的手势，然后迅速变成平板电脑，飞到了罗克的手中。平板电脑的屏幕上，出现一条进度条，开始统计、计算红绿灯的位置数据。

国王疑惑地问道：“罗克，你想做什么？”

罗克笑了笑说：“我要给你开一条绿色通道！接下来，听我指示行车。”

这时，红绿灯的相关数据加载完成，一幅电子地图出现了，地图上显示了每个路段的红绿灯位置。

罗克开始指挥国王说：“国王，现在冲过去。”

“可是现在还是红灯啊！”国王一看前方的红灯倒数时间还有30秒，有些犹豫。

“是吗？你再看看。”罗克得意地反问道。

“这……这……”这时，国王惊讶地发现红灯突然变成了绿灯。

“别惊讶了，更精彩的还在后头呢！”

国王的心提到了嗓子眼，他感觉难以置信，但还是听从罗克的指挥，一踩油门，直冲了过去。国王的车刚通过红绿灯路口，绿灯马上又变回了红灯。虽然校长的校车紧跟其后，但遇见红灯不得不再次刹车，校长探出车窗，大力地敲打车门骂道：“罗克，你们等着……”

就这样，罗克用UBIQ提供的操作系统，一路操控着路上的红绿灯，把他们要经过的红灯全部变成绿灯，让国王可以快速通过；又把校长他们准备要通过的绿灯全部变成红灯，让他们不得不停下来。

在一次又一次被红灯逼停后，校长终于忍无可忍，对着Milk大喊：“谁让你停下的，冲过去啊！”

Milk却无奈地说：“校长，闯红灯要扣六分，我的驾照早就没分扣了！”

校长抓狂地吼道：“我要被你气

死了！”

Milk摆摆手，说道：“校长，气死你的可不是我，是红绿灯。它一直变来变去的，好奇怪哦！”说着，Milk转头一看，发现校长正一脸怨气，散发着一股可怕的气场。Milk吓得用力一踩油门，冲过了红灯。

而另一边，罗克和国王发现身后已经看不到校长的车了，开心得击掌。

国王忍不住夸赞道：“罗克，多亏你想到控制红绿灯的办法。”

UBIQ也变回原型，高兴地和罗克击掌，罗克开心地笑道：“要是没有你和UBIQ的完美配合，我们也不可能这么快甩开校长。”

可是国王和罗克并没有开心多久，当他们的车开到快到街尾的时候，校长的校车迎面而来，堵住了国王和罗克的去路。

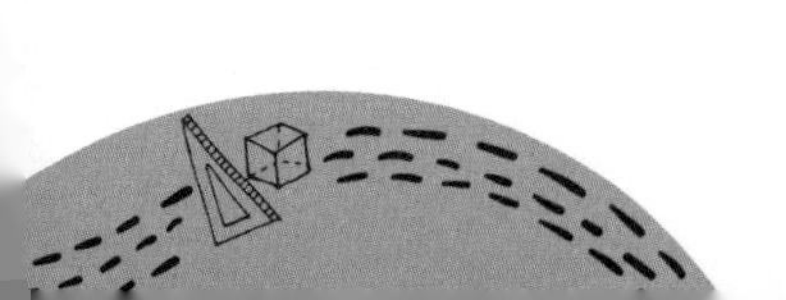

Milk违章被罚款

Milk和校长一路紧追罗克他们，险象环生，极容易造成车祸，导致人员伤亡、交通堵塞。根据交通安全法规，车辆超速将会受到相应的处罚。

例 题

违反限速规定的行为会受到处罚：在限速为50千米/时以上80千米/时以下的道路，超过限速的扣6分，并罚款。

超出规定时速	罚款
10%～20%	100元
20%～50%	150元
50%～70%	500元
70%以上	1000元

Milk和校长在限速60千米/时的道路上，时速达到了100千米/时，Milk不但会被扣6分，还将被罚款多少钱？

方法点拨

$(100-60) \div 60 \approx 66.7\%$

$70\% > 66.7\% > 50\%$　罚款500元

所以，Milk不但会被扣6分，还将被罚款500元。

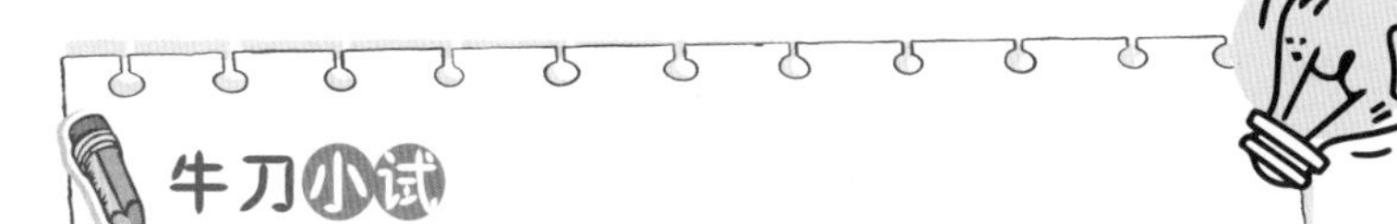

违反限速规定的行为会受到处罚。在限速为50千米/时以下的道路，超过限速的扣6分，并罚款。

超出规定时速	罚款
10%～20%	50元
20%～50%	100元
50%～70%	300元
70%以上	500元

Milk和校长在限速40千米/时的道路上，被交警拦下。Milk因超过限速，被扣6分，并罚款300元。请问：被拦下时他的车速是多少？

校长从车窗探出头来，拿着喇叭大喊："罗克，国王，你们已经无路可走了，快把保险箱交给我！"

罗克惊讶地说道："这么快就追上来了？"

"哼，肯定是闯红灯了！"国王不屑地说。

狭窄的路上，校长的车慢慢逼近。罗克探出头来，回应校长："我们是不会把手稿交给你的，你这个大坏蛋！"

国王也跟着大喊道："没错，我们现

在就去把手稿物归原主，你想炒我鱿鱼，做梦吧！”

“这是你们自己选的，别怪我。就让你们看看我到底有多坏！”校长邪恶一笑，拿出了遥控器，按下红色按键。

“轰”！国王车内的保险箱突然爆炸了，国王、罗克和UBIQ被爆炸的冲击力震到了街上，所幸没受什么伤。

“哎哟，发生什么事了？”国王爬起来，探过头去看车内的保险箱，绝望地大喊：“不好了！这回我真的要失业了！”

罗克也连忙爬起来跑过去一看，只见保险箱的门已经被炸开，里面的手稿被火烧成了灰烬。

“没想到吧，我在保险箱里装了炸弹。”校长拿着遥控器，得意地说，“只要我轻轻按下遥控器按键，一切都会化为灰烬，我得不到的，你们也休想

得到。哼，Milk，我们走，愿望之码就要出题了！”

想不到校长这么狠心，居然舍得毁掉如此珍贵的阿基米德数学手稿。罗克和国王被惊得目瞪口呆，一时想不到办法，只能眼睁睁地看着校长的车子开走，消失在街道上。过了好一会儿，国王和罗克终于回过神来，两人跑回车上，尝试启动车子，但受刚刚的爆炸影响，车子怎么都启动不了。国王无精打采地趴在方向盘上说：“这回没救了，手稿没了，车子也毁了，工作……也丢了。”

罗克拍拍国王的肩膀，鼓励道：“国王，我们还有最后一次机会。”

“你说真的？”国王眼中燃起了希望。

罗克自信地点点头，肯定地说道：“嗯，我和UBIQ先赶去广场。”说完，罗克跳上了UBIQ变成的滑板，向着广场加速飞去。

无人机的遥控距离

校长通过操纵遥控器，把国王车内的保险箱炸毁了，阿基米德的手稿化为灰烬。生活中，遥控技术应用越来越广泛。我们最常见的是无人机航拍，无人机航拍影像具有高清晰、大比例尺、小面积等优点。学校组织大型活动时也经常使用。

例 题

消费级无人机的通信主要依靠无线电方式，通信距离比较短，一般为5～10 km（以5 km较为理想）。要想通过无人机清晰了解6.2 km处的目标物，罗克应向前走多久（罗克的步行速度为120 m/min）？

方法点拨

$$(6.2-5)\times 1000\div 120$$
$$=1200\div 120$$
$$=10（分）$$

所以罗克向前走10分钟才能清晰了解目标物的情况。

牛刀小试

某国国防部对无人机的投资在过去10年间增加了500%，投资占比从2005年的5%提升至2012年的29%，并规划到2050年提升到40%。该国国防部对无人机的投资2012年比2005年增长了多少?

最后的机会

广场上的大钟显示中午的11点59分，花花、依依、小强站在广场上，紧张地等待着愿望之码出题。

“成功、失败，成功、失败……”花花撕着花瓣占卜。

一旁的小强小心翼翼地问：“花花，万一国王和罗克失败了，国王是不是就会失业呀？”

依依一把将抹布扔在小强脸上，骂道：“乌鸦嘴！”

这时，校车从不远处快速地向他们靠

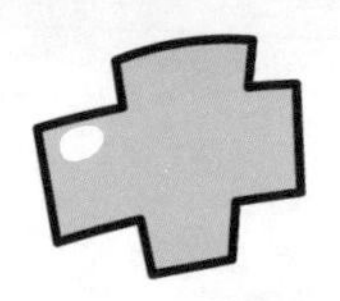

近。“吱”！伴随着一声刺耳的刹车声，校车猛地停在了小强等人的面前，地上还留下了两道深深的刹车痕。“看到我是不是很失望？呵呵，顺便告诉你们一个好消息，你们的国王马上就要失业了！哈哈哈！”校长走下车一脸得意地大笑道。

“你胡说，我爸爸是数学荒岛最聪明的国王，他一定能找回阿基米德的数学手稿！”花花生气地反驳着校长。

“噢，难道你们不知道手稿已经变成灰烬了吗？哈哈哈！”校长的语气中充满挑衅的味道。

这时，12点的钟声响起，愿望之码闪烁着七彩的光芒出现在半空中：“算一算，想一想，实现愿望靠自己。大家好，又到了我愿望之码出题的时间了。”

花花为给爸爸出气，自告奋勇地说：“这回让我来，我要亲手打败校长，谁叫他害得爸爸失业！”

“哼！Milk，这些小屁孩，就交给你来对付吧，你可别让我失望啊！”校长并不把他们放在眼里。

“放心，欺负小孩是我的强项。”Milk拍拍胸脯打包票说。

愿望之码开始出题：“大家请听题，糖果婆婆做飞天糖，晴天每天可以做20颗，雨天每天只能做12颗，她一共做了112颗飞天糖，平均每天做14颗，请问这些天当中有几天是雨天？”

“答案是8天！”Milk抢先一步回答。

“回答错误。”愿望之码无情地否定了Milk的答案。

“Milk，谁告诉你答案是8天的？”校长生气地质问道。

“你啊！”Milk脱口而出，“校长，难道你忘记了吗？每逢下雨天，你就让我陪你做数学题，这个月我已经做完8本习题簿了！”

“笨蛋，这是数学题，谁让你数习题簿了？”校长差点被气得晕倒在地。

这时愿望之码说道：“Milk回答错误，花花请回答！”

“答案是……答案是……等一会儿……”花花纠结地拿出花瓣，一边撕一边数道，“一天、两天、三天……”

小强无奈地拍了一下额头，自言自语地说：“哎呀！如果罗克在的话，那多好啊！”

小强的话音刚落，天空中突然传来了罗克的声音：“答案是6天！”

花花听到，立即对愿望之码重复道：“答案是6天！”

“回答正确！”愿望之码肯定了花花的答案。

这时众人才反应过来，惊讶地抬头望向天空，只见罗克踩着滑板，悬浮在愿望之码答题场的上空。

依依兴奋地喊道：“罗克，你终于赶

来了！”

“时间刚刚好！”罗克得意地说。

花花一副夸奖属下的语气说道：“我就知道关键时刻，罗克一定不会让我失望的。”

而此时，校长却开心不起来，只能做着最后的挣扎。他质问罗克：“谁知道你是不是蒙的，有本事告诉我，你是怎么算出来的？”

罗克自信满满地说：“太简单了，你们听好啦，糖果婆婆总共用了112÷14=8（天）做飞天糖。如果8天都是晴天，将可做20×8=160（颗）飞天糖，每个雨天比晴天少做飞天糖20−12=8（颗），现在实际做的比全是晴天做的少了160−112=48（颗），因此雨天有48÷8=6（天）。”

“花花，请说出你的愿望，让我为你实现吧!”按照约定，愿望之码要实现答对题目的人一个限时3分钟的愿望。

“快许愿将阿基米德的数学手稿恢复原状！”罗克向花花喊道，一旁UBIQ正双手捧着一堆黑色纸屑。

“罗克，你是忘记了吗？即使恢复原状，也只能维持3分钟。”校长嘲笑道。

“罗克，校长说得对……”小强扯了扯罗克的衣角，小声说道。

罗克自信地说：“没事，相信我就对了！”

花花选择相信罗克，向愿望之码许下了将阿基米德的数学手稿恢复原状的愿望。

“愿望之码，如你所愿。”愿望之码射出一道七彩的光芒，包围着阿基米德数学手稿的残屑，只见黑色的纸屑旋转着飞到半空，慢慢地组合为原来的手稿。

“UBIQ，轮到你表演了。”罗克狡黠一笑。

UBIQ射出一道亮光，将阿基米德的数学手稿扫描了一遍。

依依不解地问：“罗克，UBIQ在做什么？”

罗克解释说：“UBIQ在扫描阿基米德的数学手稿，这样就可以复制出一模一样的手稿了！”

“太棒了，UBIQ好样的，这样一来爸爸就不会失业了。”花花终于放下心来。

“什么？这也行？我……”校长这次真的被气晕了，直挺挺地倒在Milk的身上。

Milk拼命地摇晃着校长，着急地喊：“校长、校长——你先别死啊，说好的蛋糕呢？”

众人看着被气晕的校长，纷纷哈哈大笑起来。这次阿基米德数学手稿丢失事件，终于完美地解决了。

巧设未知数

罗克用了假设法帮花花，他也可以列方程解决愿望之码出的问题。解决这类问题的一般步骤:

①弄清题意，顺向思考中遇到的未知数，并用x表示。

②找出数量之间的相等关系，列方程。

③解方程。

④检验，写出答案。

例题

糖果婆婆做飞天糖，晴天每天可以做20颗，雨天每天只能做12颗，她一共做了112颗飞天糖，平均每天做14颗，问这些天当中有几天是雨天?

方法点拨

方法1：

糖果婆婆共用了$112\div14=8$（天）做飞天糖。如果8天都是晴天，将可做$20\times6=160$（颗）飞天糖，一个雨天比一个晴天少做飞天糖$20-12=8$（颗），现在共少做了$160-112=48$（颗），因此雨天有$48\div8=6$（天）。

方法2:

设有x天是雨天。

$112\div14=8$（天）

$$20(8-x)+12x=112$$

$$160-20x+12x=112$$

$$8x=48$$

$$x=6$$

所以有6天是雨天。

鸡兔同笼，共有30个头，88只脚。求笼中鸡兔各有几只？

垃圾怪

1. 依依与罗克的对决

【荒岛课堂】四大洲派来的15名代表

【答案提示】

30-（10-1）

=30-9

=21（人）

答：男生至少有21人。

2. 角色扮演的冒险游戏

【荒岛课堂】投骰子游戏

【答案提示】

答：花花他们要想多一些活动资金，应该选择“方案1”，因为点数和为5、6、7、8、9，共有24种，概率为$\frac{2}{3}$，且对应的资金多；反之国王想要省

钱应该选择“方案2”。

3. 国王的决心

【荒岛课堂】怎样租垃圾车更合算?

【答案提示】

若全租用面包车:

270÷30=9(辆)

9×400=3600(元)

若全租用大客车:

270÷50=5(辆)……20(人)

面包车和大客车的单价分别为:

400÷30≈13(元/人)

600÷50=12(元/人)

大客车单价比较低，尽可能租大客车，但不能留空位。

3×50+4×30=270(人)

3×600+4×400=3400(元)

所以，租大客车3辆、面包车4辆最省钱。最少需要3400元。

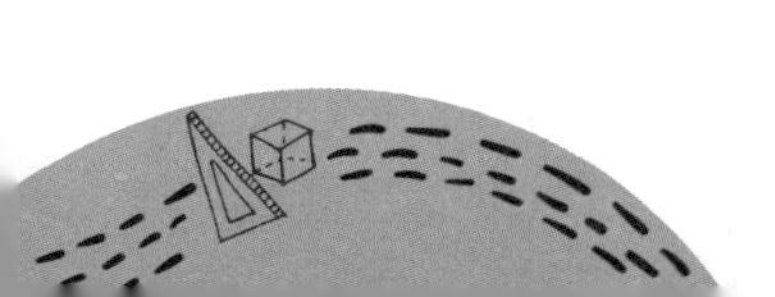

4. 国王要被校长教训了

【荒岛课堂】制作易拉罐

【答案提示】

解：设半径为x厘米。

$$2\times3.14x+2x=24.84$$

$$8.28x=24.84$$

$$x=3$$

高为半径的4倍，即$3\times4=12$（厘米）

答：易拉罐半径3厘米，高12厘米。

5. 国王被警察抓了

【荒岛课堂】营救白马王子

【答案提示】

解：$\frac{1}{3}-\frac{1}{5}=\frac{2}{15}$

$735\times\frac{2}{15}=98$（人）

6. 扫大街的国王

【荒岛课堂】可怕的白色污染

【答案提示】

例题中求得我国家庭每天产生的塑料袋为4.65亿个。

4.65×100 000 000÷（34×1000）≈13 676（个）

4.65×100 000 000÷10÷（141×10）≈32 979（个）

所以，我国家庭每天产生的塑料袋的重量相当于13 676个该学生的体重，高度相当于32 979个该学生的身高。

7. 地球是我家，干净靠大家

【荒岛课堂】可恶的“牛皮癣”

【答案提示】

4×100÷30=13（张）……10（厘米）

3×100÷40=7（张）……20（厘米）

13×7=91（张）

答：最多能贴91张。

8. 校长又又又要使坏了

【荒岛课堂】不断增多的许诺

【答案提示】

8个3连乘：$3\times3\times3\times3\times3\times3\times3\times3=3^8=6561$

9. 从天而降的垃圾

【荒岛课堂】垃圾大炮弹

【答案提示】

阴影部分按边长1∶2放大得到大等腰直角三角形，所以大、小三角形的面积比为4∶1。

所以，大的等腰直角三角形的面积为：

$4.5\times4=18$（平方厘米）

10. 校长又失望了

【荒岛课堂】数字谜

【答案提示】

（1）如果原来算式没有进位，那么两个加数各个数位上数字的和是$4+7=11$。

（2）如果原来算式有一次进位，那么两个加数各个数位上数字的和是17+（4−1）=20或者4+7+9×1=20。

阿基米德的数学手稿

1. 我爸爸是大明星

【荒岛课堂】摄影中的构图

【答案提示】

通常情况下，右上方交叉点最为理想，其次为右下方交叉点，比较符合人们的视觉习惯，使主体自然成为视觉中心，能突出主体，并使画面趋向均衡。

2. 阿基米德手稿不见了

【荒岛课堂】胖警长审案

【答案提示】

假设A是小偷，则A说的是谎话，B说的是真

话，C说的是真话，D说的是真话，E说的也是真话，不满足“只有3个人说的是真话”，所以A是小偷不成立。

以此类推，E是小偷符合题意。

3. 小小侦探罗克

【荒岛课堂】人体密码——脚印与身高

【答案提示】

$27\times6.876\approx186$（厘米）

所以，这名罪犯大约身高186厘米。

此外，还可以根据脚印在不同场所的深浅度来推测体重。

4. 当“粉丝”见到偶像

【荒岛课堂】印画中的数学

【答案提示】

开放题，无答案。

5. 保险箱的秘密

【荒岛课堂】数图形的个数

【答案提示】

（3+2+1）×（4+3+2+1）=60（个）

6. 夺回手稿大行动

【荒岛课堂】校长家地板被精准爆破了

【答案提示】

45×0.000 001=0.000 045（毫米）

答：这台电脑CPU和显卡晶体管的尺寸是0.000 045毫米。

7. 速度与激情的追逐

【荒岛课堂】Milk违章被罚款

【答案提示】

罚款300元，说明超过限速50%～70%。

40×（1+50%）=60（千米/时）

40×（1+70%）=68（千米/时）

所以，Milk的车被拦下时的车速是60～68千米/时。

8. 被毁掉的阿基米德手稿

【荒岛课堂】无人机的遥控距离

【答案提示】

（29%−5%）÷5%=480%

答：该国国防部2012年对无人机的投资比2005年增长了480%。

9. 最后的机会

【荒岛课堂】巧设未知数

【答案提示】

解：设兔子有x只，那么鸡有（$30-x$）只

$$4x+2(30-x)=88$$

$$2x+60=88$$

$$x=14$$

30−14=16（只）

答：鸡有16只，兔子有14只。

数学知识对照表

图书在版编目（CIP）数据

罗克数学荒岛历险记. 9，消失的阿基米德手稿 / 达力动漫著. —广州：广东教育出版社，2020.11

ISBN 978-7-5548-3311-7

Ⅰ.①罗… Ⅱ.①达… Ⅲ.①数学—少儿读物 Ⅳ.①O1-49

中国版本图书馆CIP数据核字（2020）第100227号

策　　划：陶　己　卞晓琰

统　　筹：徐　枢　应华江　朱晓兵　郑张昇

责任编辑：李　慧　惠　丹　尚于力

审　　订：李梦蝶　苏菲芷　周　峰

责任技编：姚健燕

装帧设计：友间文化

平面设计：刘徵羽　钟玥珊

罗克数学荒岛历险记　9　消失的阿基米德手稿

LUOKE SHUXUEHUANGDAO LIXIANJI　9　XIAOSHI DE A'JIMIDE SHOUGAO

广 东 教 育 出 版 社 出 版 发 行

（广州市环市东路472号12-15楼）

邮政编码：510075

网址：http：//www.gjs.cn

广东新华发行集团股份有限公司经销

广州市岭美文化科技有限公司印刷

（广州市荔湾区花地大道南海南工商贸易区A幢 邮政编码：510385）

889毫米×1194毫米　32开本　5.25印张　105千字

2020年11月第1版　2020年11月第1次印刷

ISBN 978-7-5548-3311-7

定价：25.00元

质量监督电话：020-87613102　邮箱：gjs-quality@nfcb.com.cn

购书咨询电话：020-87615809